누구나 쉽게 배우는
집에서 혼자 환자 돌보기 매뉴얼

이용기

저는 10년 넘게 와상 상태인 어머님을 집에서 돌보며 간병의 현장을 경험했습니다. 전문가는 아니지만, 어머님과의 시간에서 실제로 겪으면서 배운 실질적인 지식과 노하우를 이 책에 담았습니다. 우리 모두가 간병의 여정에서 겪는 시행착오를 줄이고, 사랑으로 가득 찬 케어를 할 수 있기를 바랍니다. 이 책이 간병인 여러분의 여정에 실질적인 도움이 되기를 진심으로 바랍니다.

누구나
쉽게 배우는

집에서
혼자
환자 돌보기
매뉴얼

의사는 알려주지 않는
10년차 간병 전문가의 돌봄 매뉴얼

이용기 지음

목차

III. 요양환자 실전 관리 – 심화

I. 프롤로그

1. 이 책을 읽어야 하는 독자

사람이 태어나서 세상을 살아가면서 무엇보다 중요한건 건강입니다. 그런데 사람이 태어나 유년기, 청년기, 장년기, 노년기를 거치면서 건강했던 몸이 노쇠해져 신체기능들이 떨어지면서 삶을 마감하게 됩니다. 나이가 들지 않고 건강했던 사람일지라도 각종 질병이나 사고 등으로 인하여 정상적인 생활이 불가능한 상황에 놓인 환자들도 있습니다.

저희 어머님께서는 연세가 들어가시면서 골다공증이 심해져 계단에서 발을 헛딛으시면서 요추1번이 압박골절되어 거동이 불편하게 되시면서 뇌출혈이 되어 장기간 투병생활이 시작되었습니다.

장기간에 걸쳐 병간호 하면서 경험한 내용과 얻은 노하우 등이 처음 겪어보시는 분들에게 조금이나마 도움이 되시면 좋겠다는 생각으로 이렇게 책으로 올려드리게 되었습니다.

전문적으로 교육을 받은 적이 없는 평범한 사람으로 제가 서술한 내용이 정답은 아닙니다. 다른 더 좋은 방법이 있을 수 있고 잘못된 것도 있을 수 있습니다. 다만 다년 간 어머님을 간병하면서 체험해본 내용을 사랑하는 가족을 간병하기 시작하는 분들에게 참고가 될까해서 글로서 남겨보고자 했을 뿐입니다.

요즘 현대판 고려장이라는 요양병원에 사랑하는 가족을 보내지 않으시려는 분들에게 참고될만한 사항들을 서술하였습니다.

2. 이 책에서 확실하게 얻을 수 있는 것

　1) 집에서 와상상태(누워 생활하는)인 사랑하는 가족을 재가서비스로 케어하는 요령

　2) 병원이나 제도권 의료기관에서는 세밀한 내용까지는 실제 경험하지 않은 부분 등

　3) 이 책 내용은 환자와 의사소통이 가능하고 거동이 가능한 환자는 대화하면서 불편사항에 대하여 의사표시가 가능하므로 여기서는 제외하고 거동이 불가하고 의사표시를 할 수 없는 와상상태의 환자를 대상으로 한 케어 방법을 서술하였으니 참고 하시기 바랍니다.

3. 장기 요양 가사 간병(재가서비스)의 필요성

　요양병원에 입원하여 요양이 가능하신분은 혼자 힘으로 거동이 가능하고 의사표시가 가능할 경우에는 집단시설에서 요양을 할 수 있습니다.

　그러나 혼자 힘으로 거동 못하고 의사표시가 불가능하거나 의식이 온전하지 못한 환자를 시설에 의탁한다는 것은 바로 돌아가셔도 좋으니 알아서 하세요 라고 하는 것이나 다름 없는 것입니다.

　대부분 장기요양을 필요로 하는 환자는 혈관질환 환자로서 뇌졸중, 뇌출혈환자입니다.

　이에 해당하는 환자는 장기간 요양이 필요한 환자로서 정상적인 회복이 대부분 불가능한 경우가 대부분입니다. 이러한 환자를 케어하기 위해서는 처음에는 케어를 어떻게 해야할지 모르기 때문에 전문의료기관에 위탁이 되어 케어를 합니다. 관리와 케어가 3차 진료기관(상급종합병원, 대학병원 등)에서 제대로 이루어집니다. 그러나 의료비 과다 지출 등으로 의료보험공단에서는 급성기 치료만 끝나면 퇴원을 독려하므로 오래 입원해 있을 수가 없어 1차 진료기관(의원, 보건소 등)까지 전전하다가 마지막에는 요양병원, 요양원 등으로 내몰릴 수밖에 없는 사정에 이르게 되어 보호자들은 여러가지 사정상 위탁해서 요양을 시작하게 됩니다.

　그런데 거동과 의사표시가 가능한 요양대상자들은 요양병원이나 요양원에 입소하여 어느정도 케어를 받을 수 있으나 대부분의 혈관성질환이나 뇌병변으로 요양이 시작되는 환자는 의사표시와 거동이 불가한 관계로 모든 의료행위를 전적으로 요양기관에 의탁할 수밖에 없는 상황이어서 요양기관에서 세심하게 케어 하기란 사실상 불가하며 특히 뇌혈관질환으로 요양 중이라면 일부 또는 전신마비일 경우 의사표시 불가와 침 삼킴이 불가하여 주기적으로 석션을 요하는 환자는 필수적으로 필요할 때 즉시 해주지 않으면 심각한 상황에 처할 수가 있습니다.

침 삼킴은 자율신경계의 작동으로 자동으로 이루어져야 하는데 뇌중추신경의 손상으로 정상 작용을 하지 못하는 관계로 일명 목젖이라는 부분이 음식물이나 침을 삼킬 경우 기도를 막아 기도로 이물질 및 음식물 침 등이 들어가지 못하도록 하는 작용을 하지 못합니다.

이러한 이유로 해서 기도로 이물질이 유입되어 흡인성 폐렴으로 생명에 위협까지 가게 됩니다.

특히 폐렴이 잘 발병하고 관리가 어려운 게 폐렴 관리인데 위탁기관에서 있으면서 경제적인 여유가 있어 개인 간병인도 두고 관리하는 가정이면 비교적 양질의 관리가 이루어질 수 있으나 대부분은 현실적으로 어려움이 있어 위탁기관에 집단관리에 의지하는 형태로 요양을 받고 있습니다.

위탁기관에서의 케어는 주기적인 시간을 정하여 관리하기 때문에 수시로 발생하는 불편사항이나 위급상황에 대해 즉시 대처가 불가하고 불편사항이 바로 해소가 되지 않는 문제가 있으며 환자의 불편함이 자세히 관찰이 되지 않는 문제도 있습니다. 즉시 처치가 이루어지지 않는 부분이 쌓여 병세가 악화되어 집니다.

재가서비스는 정부보조금액이 등급별로 지원되는 금액을 정하여 지원되는데 총금액의 15%만 환자가 부담하면 되는 것으로 경제적으로 그리 많은 부담은 들지 않습니다.

가사간병의 필요성은 제일 큰 부분이 환자 본인의 심리적 안정입니다. 타인에 의해 간병을 받는 것보다 사랑하는 가족에 의해 간병을 받는 안정된 심리가 환자의 상태를 좋아지게 하기 때문입니다.

4. 집필 이유

사람에게 제일 치명적인 질병이 심혈관질환과 뇌혈관질환입니다. 심혈관질환이 심각하게 발생하였을 경우에는 사망에 이르는데 뇌혈관질환은 거의 회복이 불가능한 상태로 생을 다할 때까지 타인에 도움에 의하여 평생을 살아야 하는 상태에 이르게 됩니다.

이러한 상황에 직면하게 되면 대부분 병원이나 요양시설을 통하여 케어에 들어가게 됩니다.

떠도는 말처럼 요양병원이나 요양원 등에 시설은 현대판 고려장이라는 말이 있듯이 내 가족처럼 케어가 이루어지지 못함을 뜻하는 것입니다.

제 어머님도 초기에는 시설에서 요양을 하셨는데 대부분의 보호자들은 방문하여 길어야 30분 정도 머물다 갑니다. 저는 최소 30분에서 한 시간정도 머물다 오곤 하였는데 그때마다 케어가 제대로 이루어지지 않는다는 것을 확인하였습니다.

많은 인원을 관리하다 보면 개개인의 상태에 따른 케어는 형식적으로 이루어질 수밖에 없다고 생각하고 그렇게 할 수밖에 없는 현실을 느껴서 고심 끝에 집에서 모실 수 있는 재가서비스를 신청하여 집에서 모시게 되었습니다.

어느 누구도 요양시설에서 집단으로 케어를 받고자 하는 사람은 없습니다.

그만큼 요양시설에서 케어가 제대로 이루어지지 않고 있다는 반증이기도 하고 가족의 사랑을 받고 싶고 가족 품에서 임종을 맞이하고 싶어 합니다.

　제가 요양시설에 계시는 어머님을 뵙고 나올 때마다 어머님에 간절한 눈빛을 볼 때마다 가슴이 미어지는 심정이었습니다. 자식의 도리를 떠나서 인간적으로 보더라도, 의사표명이 가능했더라도 우리 어머님 같은 경우에는 자식에게 싫은 소리, 어려운 부탁을 전혀 하시지 않으셨던 분인데 더군다나 뇌출혈로 인하여 의사표시가 불가한데 얼마나 답답하고 원통하셨겠습니까? 요양원이나 시설에서 편안하게 잘 케어가 된다면 대부분의 환자들이 집으로 가기를 갈망하고 원하겠습니까? 책에다 표현하기는 그렇지만 의사표현이 불가한 환자는 거의 방치 수준입니다. 보호자가 와도 의사를 전달 할 수가 없으니 얼마나 원통하겠습니까? 의사표현이 가능한 환자라도 불편사항을 보호자에게 전하면 요양원 측에서는 치매 또는 정신이상으로 치부해버리는 행위를 자행합니다.

　적어도 거동을 하지 못하고 의사표현이 불가한 환자들을 위하여 가정에서 재가서비스를 받을 수 있도록 환자 케어 요령을 제가 경험한 내용을 바탕으로 여러분에게 전파하려고 합니다. 사랑하는 가족이 삶을 마감하는 날까지 따뜻한 가족에 품에서 편안한 사랑에 케어를 받을 수 있도록 미천한 경험이나마 전해드리고자 이 책을 집필하게 되었습니다.

5. 의료기관 서비스 종류

1) 의료기관은 일반 의료보험이 적용되는 기관과 장기요양보험이 적용되는 기관으로 나눌 수 있습니다. 일반 의료보험이 적용되는 병의원부터 종합병원, 대학병원, 요양병원 등이 있습니다. 일반적인 질병이나 상처의 진료와 치료를 제공하며, 대부분 의료 서비스가 보험 적용 대상입니다. 그리고 장기요양보험이 적용되는 요양원이 있습니다. 요양원에서는 장기간 치료가 필요한 환자들에게 장기 요양 서비스를 제공하며, 이런 서비스가 보험 적용 대상입니다.

2) 요양병원과 일반병원에서는 요양등급 없이 입원치료가 가능합니다. 요양원 입소를 위해서는 보통 장기요양등급 판정을 받아야 합니다. 이는 해당 환자가 장기간 요양이 필요한 상태인지를 판단하기 위한 것입니다. 장기요양보험에 의해 등급을 받은 환자들은 집에서도 재가서비스를 받을 수 있습니다. 이 서비스는 환자가 가정에서도 안정적인 생활을 유지할 수 있도록 지원하는 것으로, 장기요양서비스의 일환으로 제공됩니다.

3) 요양등급을 받기 위해서는 각 지역 의료보험공단에 신청을 하여 심사하는 직원이 직접 내방하여 환자의 상태를 면밀히 조사 후 심사하여 최종 판단을 내립니다. 조금 더 순차적으로, 세부적으로 정리하면 다음과 같습니다.

누구나 쉽게 배우는 집에서 혼자 환자 돌보기 매뉴얼

- 신청: 먼저, 본인이나 가족이 관할 의료보험공단에 장기요양 등급판정 서비스 이용을 신청합니다.

- 진단: 관할의료보험공단 직원이 방문하여 신청자의 건강 상태를 진단하고, 장기요양이 필요한지를 판단합니다. 이를 위해 필요한 검사를 진행하게 됩니다.

- 평가: 평가자료 결과에 따라, 신청자의 요양등급을 심사 평가하게 됩니다. 이 평가는 신청자의 건강 상태, 일상생활 능력 등을 종합적으로 고려하여 이루어집니다.

- 등급 결정: 평가 결과에 따라, 신청자는 각기 다른 수준의 요양이 필요한 1등급부터 5등급까지 중 하나의 등급을 받게 됩니다.

- 서비스 이용: 결정된 등급에 따라, 신청자는 요양원 입소나 재가서비스 등 각종 장기요양 서비스를 이용할 수 있게 됩니다.

이러한 절차를 통해 요양등급을 받게 되며, 이를 통해 요양원 입소 등 다양한 서비스를 이용할 수 있습니다. 이 과정에서 필요한 문서나 상세한 절차는 관할 의료보험공단에 문의하시면 자세히 알 수 있습니다.

4) 환자의 상태에 따라 1등급에서 5등급까지 부여하게 됩니다. 신체기능 12항목, 인지기능 7항목, 행동변화 14항목, 간호 처치 9

항목, 재활 10항목으로 총 52개 항목을 조사하여 장기요양인정 점수를 산정합니다. 점수가 95점 이상이 1등급, 75점 이상 95점 미만이 2등급, 60점 이상 75점 미만이 3등급, 51점 이상 60점 미만이 4등급, 45점 이상 51점 미만이 5등급입니다. 1등급이 가장 높으며, 등급이 높을수록 재가급여 월 사용한도 금액이 높습니다. 2024년 기준 재가서비스 등급별 월 이용한도액은 1등급부터 5등급까지 2,069,900원, 1,869,600원, 1,455,800원, 1,341,800원, 1,151,600원이며 인지지원등급은 643,700원입니다. 지급되는 금액은 해마다 조정되어 고시됩니다.

5) 장기요양보험의 요양등급은 환자의 건강 상태 변화에 따라 조정됩니다. 시간이 지나면서 환자의 건강 상태는 변하게 됩니다. 이런 상황에서는 재검중 심사를 통해 환자의 현재 상태를 다시 평가하게 됩니다.

만약 환자의 상태가 개선되어 일상생활 능력이 향상된 경우, 요양등급은 낮아지게 됩니다. 반대로, 환자의 상태가 악화하여 추가적인 요양이 필요한 경우, 요양등급은 상향 조정됩니다. 이는 환자에게 더 많은 도움을 제공하기 위한 것입니다.

이렇게 재검중 심사를 통해 요양등급을 조정하는 것은, 각 환자에게 가장 적합한 요양 서비스를 지속적으로 제공하기 위한 중요한 과정입니다. 따라서, 환자의 건강 상태 변화에 따라 적시에 재검중 심사를 신청하는 것이 중요합니다.

6) 요양등급은 환자의 상태 변화에 따라 일정 주기로 재심사가 필요합니다. 초기에는 매해마다 재심사 실사를 하여 전문가가 직접 환자를 방문하여 건강 상태를 체크하고, 필요한 경우 추가적인 검사를 실시합니다. 시간이 흘러 환자상태가 고착화되면 실사는 나오지 않고 전화로 환자나 그 가족과 전화 상담을 통해 환자의 현재 상태를 파악한 다음 처리하게 됩니다.

6. 사전에 구비해 두어야 하는 요양 용품

환자의 상태에 따라 요양용품 가격의 15%로 구입 가능합니다. 해당환자에게 필요하나 구입가능 품목에 없을 경우 공단에 구입 의사를 전달하여 구입품목으로 포함되도록 하면 됩니다. 해주지 않을 경우 복지부에도 민원을 넣으시면 가능할 수 있습니다.

1) 전동침대 - 전동침대는 수동과 전동으로 구분되는데 전동을 권장 드립니다. 전동침대는 원격 제어를 통해 쉽게 높낮이 조절이 가능하며, 환자의 자세를 수시로 변경할 수 있습니다. 이는 특히 침상에 누워 있는 시간이 많은 와상상태의 환자에게 중요한데, 긴 시간 동안 같은 자세를 유지하면 체액 순환 문제, 압박 궤양 등 다양한 건강 문제를 초래할 수 있기 때문입니다. 따라서, 전동침대는 수동침대에 비해 환자의 자세를 보다 쉽고 자주 조정할 수 있어, 환자의 편안함을 증진하고 장시간 와상상태에 불편함을 해소하는데 큰 도움이 됩니다.

2) 휠체어 - 거동이 불편한 환자에게는 휠체어가 필수적인 요양 용품입니다. 환자가 안정적으로 앉아 편안하게 이동할 수 있어 자유로운 활동을 지원해줍니다. 거동이 전혀 불가능한 환자라 할지라도, 하루에 한두 시간 정도는 휠체어에 앉혀 환자에게 다양한 자세 변화를 제공하는 것이 좋습니다. 왜냐하면, 오랜 시간 동안 같은 자세를 유지하게 되면 체액 순환에 문제가 생길 수 있고, 이

는 다양한 건강 문제를 초래할 수 있기 때문입니다. 따라서, 휠체어를 이용해 주기적으로 자세를 바꾸어 주는 것은 환자의 건강 유지에 도움이 됩니다.

3) 흡인기(석션기) – 흡인기는 호흡기나 기도에 발생한 가래나 이물질을 제거하는 데 사용되는 장비입니다. 대부분 장기 요양환자는 호흡기(기도) 등에 가래나 이물질이 생성되는 문제를 겪습니다. 이러한 가래나 이물질이 기도를 막으면 산소 공급이 제대로 이루어지지 않아 질식사 위험과 폐렴과 같은 호흡기 질환을 야기할 수 있습니다. 따라서 흡인기(석션기)를 통해 정기적인 가래 및 이물질을 제거해서 호흡을 원활하게 유지하고, 위험을 예방하는 것이 필요합니다.

4) 체온계 – 체온은 기본적인 생명 징후 중 하나로, 정상 범위를 벗어나는 체온은 감염, 염증, 대사 이상 등 다양한 건강 문제의 신호일 수 있습니다. 특히, 장기 요양환자의 경우 체력이 약해져 있어 병증이 급격히 악화될 가능성이 높기 때문에, 체온 변화를 주기적으로 체크하는 것이 중요합니다. 따라서, 체온계를 통해 체온을 정기적으로 측정하고 기록함으로써, 건강 상태 변화에 대한 신속한 대응이 가능해집니다. 이를 통해 환자의 건강 상태를 안정적으로 유지하고, 병증 악화를 예방하는 데 기여할 수 있습니다.

5) 혈압계 – 혈압은 심장이 펌프로서 작동하여 혈액을 몸 전체에 공급하는 데 있어서 중요한 역할을 하는 지표입니다. 혈압이 너무 높으면 고혈압, 너무 낮으면 저혈압을 유발할 수 있으며, 이

둘 다 심혈관 질환의 위험을 높입니다. 따라서, 혈압을 정기적으로 측정하여 혈압 상태를 모니터링하고 이상 징후를 조기에 발견하는 것은 매우 중요합니다. 혈압계를 통해 혈압을 정기적으로 체크하고 기록함으로써, 건강 상태의 변화에 신속하게 대응하고, 심혈관 질환의 위험을 최소화하는 데 기여할 수 있습니다.

6) 산소포화도 측정계 – 산소포화도 측정계는 혈액 내 산소 포화도를 측정하여 폐 기능과 기도의 이상 유무를 확인하는데 사용됩니다. 산소 포화도는 혈액에 산소가 얼마나 포화되어 있는지를 나타내는 지표입니다. 산소 포화도가 낮으면 산소 공급이 충분하지 않다는 신호로, 호흡곤란, 기관지 및 폐 이상 등 다양한 호흡기 질환의 가능성을 알려줍니다. 따라서, 산소포화도 측정계를 통해 환자의 산소 포화도를 정기적으로 모니터링하면, 이상 징후를 조기에 발견하고 적절한 대응을 취하는 데 도움이 됩니다.

7) 체위관리 용품 – 체위관리 용품은 와상 상태(긴 시간 동안 누워 있는 상태)의 환자가 욕창을 예방하기 위해 사용되는 도구입니다. 욕창이란 오랜 시간동안 같은 체위를 유지하면서 피부와 그 아래 조직에 지속적인 압력이 가해져 발생하는 피부 손상을 의미합니다. 이는 통증을 유발하고, 감염의 위험을 높이며, 환자의 생활 품질을 저하시킵니다. 체위관리 용품은 공기 매트리스, 쿠션, 볼스터 등 다양한 형태가 있으며, 이들은 환자의 체위를 변화시키거나 특정 부위에 가해지는 압력을 분산시켜 욕창을 예방하는 데 도움을 줍니다. 따라서, 체위관리 용품을 적절하게 사용하여 주기

적으로 체위를 변화시키고 압력을 관리함으로써, 욕창 발생을 예방하고 환자의 건강 상태와 생활 품질을 유지하는 데 기여할 수 있습니다.

8) 커피포트 - 커피포트는 석션 호스를 소독하는 데 필요한 물을 끓이는 용도로 사용됩니다. 석션 작업을 통해 환자의 기도에서 가래나 이물질을 제거할 때, 석션 호스는 환자의 몸과 직접 접촉하게 됩니다. 따라서, 석션 작업 후에는 이 호스를 소독하여 다음 사용을 위해 깨끗이 유지하는 것이 중요합니다. 일반적으로는 생리 식염수를 이용하여 석션 호스를 소독합니다. 그러나 석션 작업을 하루에 여러 번 수행할 경우, 식염수를 많은 양을 사용하게 되고 튜브 소독이 깨끗하게 되지 않습니다. 이럴 때는 커피포트를 이용하여 물을 끓이고, 이 물로 석션 호스를 청소하거나 소독하는데 활용할 수 있습니다. 이렇게 커피포트를 활용하면 효율적이고 경제적인 방법으로 석션 호스를 관리하고, 환자의 건강을 유지하는 데 기여할 수 있습니다. 또한 환자가 사용하는 컵등에 끓는 물로 소독처리도 하는데 활용하면 유용합니다.

9) 목욕의자 - 목욕은 신체를 깨끗이 유지하는 것뿐만 아니라, 피부의 건강을 유지하고, 혈액 순환을 촉진하는 등 건강 유지에 중요한 역할을 합니다. 따라서, 최소한 일주일에 2회 이상의 목욕은 건강 유지에 큰 도움이 됩니다. 그러나, 거동이 불편한 환자의 경우 안전한 목욕이 어려울 수 있습니다. 이때 목욕의자를 사용하면, 환자가 안정적으로 앉아 목욕을 할 수 있어, 목욕 중 발생할 수

있는 사고를 예방하고, 환자의 편안함을 높일 수 있습니다.

10) 에어방석 – 에어방석은 휠체어 등에 앉은 자세를 취할 때 발생하는 압력을 분산시켜 주어, 피부 손상이나 욕창 발생을 예방하는 역할을 합니다. 이는 특히 장시간 동안 같은 자세를 유지해야 하는 환자들에게 중요한데, 이러한 환자들은 체액 순환 문제나 압박 궤양 등 다양한 건강 문제에 노출될 위험이 있기 때문입니다. 그러나 모든 에어방석이 같은 효과를 주는 것은 아닙니다. 고무재질로 된 고급 소재로 제작된 에어방석은 더욱 우수한 압력 분산 효과를 보여줍니다.

여기에 나열한 장비들은 장기요양보험에서 연간 보조해주는 보조금으로 본인부담으로 15%를 지불하고 구입이 가능합니다.

7. 식사/영양 섭취 10가지 방법

1) 구강으로 음식물 섭취가 가능한 환자의 경우, 일반적으로 어떤 음식물이나 섭취가 가능합니다. 단, 음식의 질감이나 크기, 온도 등은 환자의 상태와 증상에 따라 적절히 조절되어야 합니다. 그러나 코줄이나 배줄을 한 환자(튜브로 공급)는 다릅니다. 주사기나 피딩 백을 통해 음식물을 섭취해야 하며, 이때 음식은 유동식 형태로 제공되어야 합니다. 유동식은 음식을 믹서기 등으로 충분히 갈아서 액체 형태로 만든 것을 말합니다.

2) 일반식- 환자가 아닌 사람이 섭취할수 있는 보통식(일반식)을 말합니다. 환자일 경우라도 구강을 통한 식사가 가능한 환자는 일반식으로 영양을 섭취할 수 있습니다. 이때, 환자의 건강 상태, 영양 상태, 소화 능력 등을 고려하여 적절한 음식 선택이 필요합니다. 또한, 환자의 섭식능력이나 구강 상태에 따라 음식의 질감이나 크기, 온도 등을 조절해야 할 수도 있습니다. 이렇게 환자의 상태에 맞춘 식사는 환자의 건강 유지와 회복에 큰 도움이 됩니다.

3) 경식- 경식은 환자가 건강을 회복하는 단계에서 제공하는 식사를 말합니다. 진밥 등 회복식으로 구성되며, 구강 섭취가능할 경우 투여합니다. 이때, 환자의 신체 상태, 영양 상태, 병증 등을 고려하여 적절한 영양소를 제공하는 식사를 계획해야 합니다. 경식은 쉽게 소화될 수 있도록 만들어진 음식으로 구성되어 있고, 적절한 영양 균형을 제공하여 환자의 건강 회복을 돕습니다. 또

한, 경식은 환자의 식욕을 자극하고, 섭식 능력을 개선하는 데도 도움이 됩니다.

4) 연식- 부드러운 식사로 일명 죽식이라고도 합니다. 소화기 계통에 수술이나 치료환자 구강 및 식도 장애 또는 치아 상태가 좋지 않은 경우에 적합한 식사 방법입니다. 연식은 일반적으로 식사를 씹는 것이 어려운 환자나 소화력이 약한 환자에게 제공됩니다. 이는 음식물을 쉽게 삼킬 수 있도록 만들어져 있으며, 환자의 영양 상태를 개선하고, 소화 과정을 돕는 데 필요한 영양소를 제공합니다.

5) 전 유동식 - 전 유동식은 구강을 통한 섭취가 불가능하거나 소화기 계통 수술 후에 환자에게 제공하는 식사 방법입니다. 유동식은 짧은 기간 동안 주로 수분 보충차원에서 섭취하는 것으로 반드시 추가 영양보충을 해야 되며 장기간 유동식만 투여해서는 안됩니다. 환자의 상태에 따라 G튜브(위루관)나 L튜브(코를 통해 위장관에 연결하는 튜브)를 통해 전 유동식을 제공할 수 있습니다. G튜브는 복부를 통해 바로 위장관에 연결하는 튜브를 말하며, 장기간 사용할 경우에 적합합니다. 반면, L튜브는 짧은 기간 동안 사용할 때 적합하며, 장기간 사용을 위해서는 G튜브 시술을 권장합니다.

6) 유동식 이외 - 와상환자 대부분은 튜브를 통하여 음식을 섭취하게 되는데 경관식만으로는 영양공급이 부족할 수 있습니다. 이런 경우, 별도 죽이나 다른 영양보조제를 추가하여 믹서로 갈아

서 주사기로 투여를 하면 됩니다. 피딩 백으로는 점도가 있어 투여가 되지 않으므로 주사기를 활용하면 편리합니다. 주사기를 이용하면 점도 있는 음식도 쉽게 투여할 수 있으며, 튜브를 통해 안전하게 음식물을 공급할 수 있습니다.

7) 과일 및 영양제품 - 제조된 유동식은 대부분 가공식품으로 다양한 성분에 영양이 부족합니다. 과일과 채소는 다양한 비타민, 미네랄, 식이섬유 등을 제공하며, 영양 보조제는 특정 영양소를 집중적으로 섭취할 수 있도록 돕습니다. 이를 믹서기 등을 이용하여 유동식으로 만들어 섭취할 수 있습니다. 하지만 이렇게 만든 유동식은 점도가 높아 투여가 어려울 수 있습니다. 이럴 때는 주사기를 활용하여 투여하는 것이 좋습니다. 주사기를 이용하면 점도가 높은 음식도 튜브를 통해 안전하게 투여할 수 있습니다.

8) 3끼 식사 외 추가투여 - 와상상태로 있기 때문에 소화 흡수가 더디고 시간이 지연되어 한 번에 충분한 양의 식사를 섭취하기가 어렵습니다. 이런 환자들은 일반적으로 3끼의 식사만으로는 충분한 영양소를 섭취하기 힘들 수 있습니다. 그러므로 보완하기 위하여 식사 시간 사이에 추가적인 간식을 투여하는 방법이 있습니다. 과일, 채소, 고단백 식품 등으로 다양한 영양소를 섭취하도록 합니다.

• 참고사항: L튜브가(비위관) [콧줄] 제대로 안착이 되었는지 확인하는 방법 https://youtu.be/GsjzVrSHHqc

II. 요양환자 실전 관리
- 기본

1. 석션 관리

1.1. 석션이 필요한 이유

석션은 환자의 입안과 기도에서 침과 음식물 등의 이물질을 제거하는 청결 관리 방법입니다. 이는 특히 노화나 뇌병변 등의 질병으로 인해 목젖의 기능이 상실된 환자에게 필요한 처치입니다.

입안에는 항상 침이 생성되어 입안을 촉촉하게 유지하며, 병원균을 제거하고 음식물의 소화 흡수를 돕는 역할을 합니다. 건강한 상태에서는 침을 삼키는 것이 원활하여 문제가 없지만, 목젖의 기능이 불완전한 환자는 침이나 음식물이 기도로 흡인되거나 흘러들어가는 상황이 발생할 수 있습니다. 이는 폐렴이나 호흡곤란 등의 위험을 초래할 수 있습니다.

이런 문제를 완화하거나 방지하기 위해 석션을 사용합니다. 석션은 입안과 기도에서 이물질을 제거하여 호흡을 원활하게 하고, 폐렴 등의 호흡기 질환을 예방하는 역할을 합니다.

따라서, 석션은 입안과 기도의 청결을 유지하고, 호흡 기능을 보호하며, 호흡기 질환을 예방하는 중요한 관리 방법입니다.

1.2. 관리 체크리스트

1.2.1. 석션 시 유의사항
- 단순구강(입속)내 이물질제거가 아닌 기도 내 석션 시

가) 첫째로, 밀봉된 석션탭을 준비해야 합니다. 둘째로, 멸균된 장갑이나 비닐 장갑을 착용해야 합니다. 이는 환자와의 직접적인 접촉 시에 생기는 감염의 위험을 최소화하기 위한 것입니다. 셋째로, 환자의 체액이 분산되는 것을 방지하기 위해 마스크와 보호안경을 착용해야 합니다. 이는 기침 등으로 인해 분사되는 환자의 체액으로부터 자신을 보호하기 위한 것입니다. 이러한 조치들을 통해 기도 내 석션 시에 안전하게 작업할 수 있습니다.

나) 석션(흡인) 과정에서 기도 내 이물질을 제거할 때, 환자의 자세는 매우 중요합니다. 환자를 반좌위나 좌위로 배치하는 것을 권장 드립니다. 이는 기침이나 위장 내 물질이 역류하여 추가적인 호흡기 문제를 일으키는 것을 방지하기 위함입니다. 반좌위는 환자의 상체를 45도 약간 들어 올린 자세를 말하며, 좌위는 환자가 앉아 있는 자세를 의미합니다.

다) 식사 후 최소 1시간 이상이 경과한 후에 석션을 진행하는 것이 권장됩니다. 이 시간은 음식물이 소화되고 위장의 압력이 감소하는 데 도움을 주어, 석션 과정 중 발생할 수 있는 위험(구토)을 최소화합니다. 환자의 안전을 최우선으로 고려하여, 석션 전에는 항상 환자의 최근 식사 시간과 소화 상태를 체크하는 것이

좋습니다.

라) 기도 내 석션을 할 때 적정 흡인압력의 사용은 필수적입니다. 너무 낮은 압력은 이물질을 효과적으로 제거하지 못할 수 있으며, 반면 너무 높은 압력은 기도나 조직에 손상을 줄 수 있습니다. 따라서, 석션 시에는 환자의 상태와 필요에 따라 적절한 흡인압력을 설정하고 조절하는 것이 중요합니다.

마) 흡인시간은 1회 15초 이내로 제한하고, 전체 석션 과정은 총 5분 이내에서 시행합니다. 이는 장시간의 흡인이 환자의 기도 점막에 손상을 주거나, 산소 공급이 중단되어 저산소증을 일으킬 수 있기 때문입니다. 짧은 흡인 시간은 기도 점막의 손상을 최소화하고, 환자에게 필요한 산소 공급을 유지하는 데 도움을 줍니다. 또한, 각 흡인 사이에 충분한 회복 시간을 두어 환자의 호흡 상태가 안정되도록 하는 것이 중요합니다.

1.2.2. 석션기의 종류 규격

석션장비는 생명과 바로 직결되는 기도를 유지하기 위하여 필수적인 장비로서 입안이나 기도에 침이나 가래등이 있을 경우에 제거에 필요한 장비로서 직접 입 안과 기도에 삽입되는 카테터가 있는데 흡입구개수와 내경크기를 나타내는 숫자 "#"에 아라비아 숫자 6호 7호 등과 5Fr에서18Fr까지를 사용합니다.

사용제품은 #7과 #6을 주로 사용하는데 가래양이 많고 체격이 큰 경우에는 #7을 사용하면 편리하며 체격이 작고 가래양이 적은 경우에는 #6을 사용하는게 편리하고 환자에게도 좋습니다. 그러나 #6을 사용하는 환자라도 비상시를 대비하여 #7을 항상 준비해 두는 것이 안전합니다. 이유는 양이 많이 발생하여 기도가 막히거나 위급한 상황일때는 #7이 효과적이기 때문입니다. 참고로 12Fr이 #6과 같은 크기이며, 14Fr은 #7과 같은 크기입니다. 주로 이 두 개의 제품을 사용합니다.

★ 이럴 땐 이렇게 (tip) 1

사용 직전에 커넥터 튜브를 생리식염수를 조금 흡입 후 관 내부에 수분을 공급하여 침이나 가래의 배출이 용이하게 한 후 카테터를 삽입하여 공기 구멍으로 흡입력을 조절하면서 사용을 합니다.

초기에는 석션기의 튜브나 카테터의 청소 및 소독을 위하여 생리식염수를 사용하였으나 소독효과나 청소 효과가 떨어지는 관계로 포트에 물을 끓여서 활용을 해보니 열처리로 세균도 제거하고 관내 청소도 확실하게 깨끗이 되어 지금은 물을 끓여 활용하고 있습니다.

전후로 뜨거운 물을 흡입하여 소독 및 청소를 반드시 해야 청결하게 유지가 가능합니다. 전후로 생리식염수나 물을 사용하는 이유는 사용전에는 관 및 튜브 내부를 물로 적시어 흡입물이 잘 배출될수 있도록 하기 위함이고 사용 후에는 흡인물을 씻어내는 역할과 관내를 소독하는 차원에서 반드시 해야 할 방법입니다. 그리고 흡입하는 동안 물을 통과시켜서 흡입물이 잘 배출 될 수 있게 흡인 중간에 물을 통과 시키는 요령도 필요합니다.

★ 이럴 땐 이렇게 (tip) 2
- 생리식염수보다 뜨거운/끓는 물을 활용하라

석션 방법은 넓고 낮은 그릇을 활용하여 적당한 양의 뜨거운 물이나, 생리식염수를 부어서 카테터를 씻거나 소독하는데 활용하면 편리합니다. 카테터를 생리식염수 통에 꽂아놓고 사용하면 통 전체가 오염되어 효율적으로 활용할 수가 없습니다. 적당한(둥글고 넓고 낮은) 그릇에 필요한 양의 물을 따라서 활용하면 편리합니다. 생리식염수를 사용하지 않고 물을 끓여서 사용할 경우에 특히 조심해야 할 것은 사용 전 카테터에 약간에 물을 흡입하는 과정에 관속(카테터)에 뜨거운 물이 남지 않도록 위로 향한 상태에서 모두 흡입한 후에 카테터가 식은 후 (3초정도면 식음) 입안에 삽입해야 합니다. 뜨거운 물이 남은 상태로 삽입하면 입 안에 화상의 위험이 있으니 특별히 유념해야 됩니다.

★ 이럴 땐 이렇게 (tip) 3
- 세균 감염에 유의

세균 감염은 석션 과정에서 특히 주의해야 하는 중요한 요소입니다. 코나 입에 넣었던 카테터를 목과 같은 기관지에 재삽입하는 것은 매우 위험합니다. 세균 감염이나 기타 호흡기 질환을 유발할 수 있기 때문입니다. 코나 입 같은 상부 호흡기는 외부 환경과 직접적으로 연결되어 있어 다양한 세균과 바이러스에 노출되기 쉽고, 이러한 미생물들이 카테터를 통해 목과 같은 하부 호흡기로 전달될 경우, 특히 면역 체계가 약한 환자에서는 심각한 감염을 초래할 수 있습니다. 따라서, 각기 다른 부위에 사용된 카테터는 교차 사용을 피하고, 가능한 1회 사용 후 적절히 처리하거나 소독하는 것이 중요합니다.

★ 이럴 땐 이렇게 (tip) 4
- 카테터 삽입 시 밸브를 열고 넣고 조금씩 빼내면서 멈추고 흡입해라

석션기 사용 시 흡입을 위해 측면에 있는 공기구멍을 왼손 엄지로 개방하는 요령을 숙달시켜서 카테터 흡입구 끝이 닿는 부분에 상처가 나지 않도록 요령 있게 조절하는 것이 중요합니다. 예를 들어서 흡입하기 위해서는 왼손 엄지로 구멍을 막고 오른손으로 조절하면서 침을 제거하는데, 막은 상태에서 기도 점막이나 입안 점막에 흡착된 상태로 당겨버리면 그 부위가 상처가 발생하여 지혈이 필요한 상황이 될 수 있으니 신중하게 해야 합니다. 추가 설명 드리자면 흡입구가 기도나 점막에 붙어 있는 상태로 당기면 점막에 상처가 생겨 세균 감염 및 지혈을 해야 하는 상황이 올 수 있으니 각별히 조심해야 합니다. 석션 카테터를 삽입할 때는 밸브를 열어 삽입하고 빼내면서 밸브를 개방하면서 이물질을 흡입해 내는데, 흡입할 때는 조금씩 당기면서(빼내면서 밸브를 조금 열면서) 멈춘 후 다시 막아 흡입을 반복하며 흡입해 냅니다.

★ 이럴 땐 이렇게 (tip) 5
- 깊이 삽입 시엔 도구를 활용하고 코(비강)를 통해 삽입할 수 있다

기도 깊숙이 카테터를 삽입해야 하는데 도구 없이는 카테터 기도 삽입이 쉽지 않습니다. 원활하게 삽입이 될 수 있게 석션 에어웨이(기도 유지기) 도구를 이용하여 삽입하면 원활하게 삽입이 되는데, 삽입 중에는 반드시 밸브를 막지 말고 삽입해야 합니다. 이유는 흡입하면서 구강과 기도 점막에 달라붙어 삽입이 되지 않습니다.

참고로 코(비강)를 통하여 기관지에 삽입하여 흡인하는 방법도 있으니 기도 부분에 이물질 흡인 시에 참고하시면 되겠습니다. 가능한 부분까지 삽입한 후 빼내면서 밸브 부위를 엄지손가락으로 조절하면서 카테터를 잡고 있는 손으로는 돌리면서(흡입구가 한쪽 방향이나 양쪽 방향으로 뚫려 있어 기도 어느 부위에 이물질이 있는지 보이지 않으니) 서서히 빼내는데, 점막에 달라붙어 나오지 않을 경우에 강하게 끌어내면 점막이 찢어지거나 상처가 생기기 때문에 절대 안 됩니다. 흡입 압력도 밸브를 막은 엄지손가락으로 조절을 잘하셔야 됩니다.

★ 이럴 땐 이렇게 (tip) 6
- 산소밀도를 높여라

석션을 받는 환자들은 대부분 호흡에 어려움을 겪고 있어 적절한 산소 공급이 필수적입니다.

산소포화도 측정기로 측정하여 90 이하로 떨어질 경우에는 산소공급이 부족하기 때문에 저산소로 위험에 처할수 있으니 급박한 상황에서 산소 공급 장치가 없다면 응급조치로 차가운 공기는 밀도가 높아 산소 포화도를 증가시킬 수 있으므로, 창문을 열어 환자의 주변 공기를 냉각시키는 것도 호흡을 돕는 한 방법이 될 수 있습니다. 동시에 환자의 몸을 따뜻하게 유지하여 체온을 보호합니다.

이러한 조치들은 응급 상황에서 산소 공급 장치가 없을 때 임시적으로 환자의 호흡 상태를 개선하는 데 도움을 줄 수 있으나, 가능한 한 빠른 시간 내에 전문적인 의료 도움을 받는 것이 최우선입니다. 환자의 호흡 상태를 지속적으로 모니터링하면서, 필요한 경우 즉시 의료진의 도움을 요청해야 합니다.

★ 이럴 땐 이렇게 (tip) 7
- 석션시간 15초 이내 총 5분 이내 시행

기도 석션시 산소 공급 차단은 주의해야 할 중요한 문제입니다. 석션 카테터를 사용하여 기도 내 이물질을 제거하는 과정에서 카테터가 산소의 통로를 막게 되므로, 폐로의 산소 공급이 일시적으로 차단될 수 있습니다. 이로 인해 환자의 호흡에 부정적인 영향을 줄 수 있으므로, 석션 시간을 짧게 유지하는 것이 필수적입니다. 일반적으로 각 석션 작업은 15초 이내로 하고, 추가 필요할 시에는 쉬었다 호흡이 정상으로 돌아온뒤 다시 하며 총시간이 5분을 초과하지 않도록 해야 합니다.

산소 공급이 가능한 상황에서는 석션을 시작하기 전에 환자에게 충분한 산소를 공급하여, 석션 중 발생할 수 있는 산소 공급 차단에 대비하는 것이 좋습니다. 이는 환자의 산소 포화도를 안정적으로 유지하고, 석션으로 인한 잠재적인 위험을 최소화하는 데 도움이 됩니다. 이와 같은 조치는 환자의 안전을 보장하고, 석션 과정에서 발생할 수 있는 합병증을 예방하는 데 중요한 역할을 합니다.

★ 이럴 땐 이렇게 (tip) 8
– 기도에 흘러들어가기 전에 사전 이물질 제거

대부분 가래가 생성되는 이유는 위장에서 역류하여 생기는 것보다 입안에서 침이 흘러들어 생기는 경우가 대부분이므로 기도 속에 이물질이 생성되어 호흡이 곤란하기 전에 주기적으로 미리 입안에 침을 흡인하여 사전에 제거해주면 기도 깊숙이 석션을 시행하지 않아도 될 수 있습니다.

그런데 대부분의 간병인과 의료인들은 목에서 가래 등 이물질이 있는 호흡 소리가 나면 그때서야 석션을 하는 게 다반사입니다. 사전에 미리 이물질을 제거해준다면 환자가 호흡곤란을 겪지 않아도 되고 흡인에 대한 고통도 없애고 폐렴의 위험도 줄어드는 효과를 볼 수가 있습니다.

★ 이럴 땐 이렇게 (tip) 9
- 식후 직전 석션하면 위험

중요한 것은 식후 최소 한 시간 이상 경과되지 않은 상태에서 소화가 이루어지지 않았을 경우 구토를 유발하여 폐 속으로 흡입이 되어 위험한 상황에 처하게 될 수도 있습니다. 그러므로 식사 전에 미리 시행하여 가래 생성 시간을 지연시키거나 소화되기를 기다렸다가 시행하면 안전하게 시행할 수 있으며, 소화되기 전 급박한 상황이라면 기도 깊숙하게는 위험하므로 호흡에 지장이 없을 정도만이라도 얕게 삽입하여 짧게 처치한 후 소화되기를 기다렸다가 시행하는 것이 안전합니다. 석션을 하게 되면 기도를 자극하게 되어 구토를 유발하게 되어 음식물이 역류하여 기도로 역류하면서 폐로 유입되어 호흡이 불가한 상황과 폐렴을 유발하게 되어 위험에 처하게 되니 식후 소화가 되지 않은 상태에서는 특히 유의해야 합니다.

★ 이럴 땐 이렇게 (tip) 10
- 수분공급부족 및 건강 악화에 따른 체액고갈로 구강,호흡기 건조시

시간이 흐름에 따라 서서히 체력은 점점 약화되고 체중이 줄어 수분을 저장할 공간이 없어져 체액 고갈에 따라 침 분비량이 줄어 구강 및 호흡기가 건조해져 호흡에 지장을 주게 됩니다. 이런 상황이 발생하게 되면 말 그대로 목이 타들어가는 고통과 호흡을 할 수 없어집니다. 이러한 증상이 발생하게 되면 즉시 조치를 취하지 않으면 호흡곤란으로 사망에도 이를 수 있으니 즉시 해결을 해야 합니다.

이런 상황이 발생하게 되면 먼저 환자의 자세를 편하게 하여 호흡하기 좋게 한 다음 섭취 가능한 내에서 물을 투여하고 창문을 열어 신선하고 온도가 낮은 공기를 공급하고 입안을 물에 적신 거즈로 닦아주거나 물려서 입안을 촉촉하게 하여 타들어가는 입안에 신속하게 수분을 공급해야 합니다. 추가로 미세하게 분사되는 스프레이로 입안에 분사하여 메마르지 않도록 해야 합니다. 이때 유의할 점은 젖은 거즈나 스프레이를 활용할 때 거즈는 흐르지 않을 만큼 짜낸 후 기도가 막히지 않고 삼키지 못하도록 입안에 물려놓거나 스프레이도 수분이 흐르지 않을 만큼만 투여를 해야 합니다. 흐르게 할 경우에는 입안에 세균과 함께 기도로 흘러 들어가 기관지염과 폐렴을 유발할 수 있어 위험하게 됩니다. 이런 증세가 발현되는 경우 대부분 실내 온도가 높거나 환자의 체온이 높은 경우가 많습니다. 앞에서 조치한 내용과 병행해서 실내 온도와 체온을 낮추는 조치를 해야 합니다.

호흡을 할 수 없다는 고통을 당해보지 않으면 그 고통이 얼마나 심한지 모릅니다. 이 상황은 최대한 신속하게 처치되어야 합니다. 이러한 사태를 예방하기 위해서는 평소에 수분 공급을 충분하

게 해야 합니다. 앞에서도 언급했듯이 간병하는 사람이 아무리 힘
이 들어도 호흡곤란으로 고통을 겪고 있는 환자보다는 낫습니다.
이물질이 기도에까지 도달하기 전에 사전에 입 안에서 제거해주
면 환자는 기관지 석션 고통을 겪지 않아도 됩니다.또한 구강건조
증을 유발하는 약물이나 질병이 있는데 약물부작용, 비타민결핍
증, 빈혈, 당뇨, 노화, 타액선 종양, 방사선치료 등이 있으나 주로
노화와 신선한 야체를 섭취하지 못하는 문제와 약물 부작용 등에
의하여 주로 발생하게 되므로 참고 하시면 되겠습니다.

  • 석션하는 방법
  https://youtu.be/mLzDp_eWiHI

체크리스트
석션

☐ **석션탭 확인**
  → 석션장비 청결관리 여부 확인

☐ **마스크 및 보호안경, 장갑 등 보호구 착용**
  → 환자로부터 발생되는 비산물로 인한 감염 예방

☐ **환자의 자세 조절**
  → 안전한 석션을 위하여 머리를 옆으로 돌리고 좌위나 산체를 올림

☐ **식사 후 경과 시간 확인**
  → 석션 과정 중 발생할 수 있는 위험(구토)을 최소화

☐ **적정 흡인압력 설정**
  → 이물질 제거와 환자의 기도나 조직 손상을 방지

☐ **흡인시간 제한**
  → 환자의 기도 점막 손상을 최소화하고 산소 공급을 유지

☐ **전체 석션 과정 제한**
  → 환자의 안전을 고려하여 석션 과정을 총 5분 이내로 제한

☐ **충분한 회복 시간 제공**
  → 환자의 호흡 상태가 안정되도록 각 흡인 사이에 충분한 회복 시간을 제공

2. 위루관 및 비위관 관리

2.1. 위루관이 필요한 이유

연하 장애는 나이가 많아지거나 뇌병변, 신경계 질환 등 다양한 원인으로 인해 발생할 수 있는 삼킴 장애를 말합니다. 이 경우, 음식물이 정상적으로 입에서 위로 이동하는 대신 기도나 폐로 잘못 들어가면서 폐렴과 같은 심각한 호흡기 질환을 유발할 위험이 있습니다. 이를 예방하고 환자의 영양 상태를 유지하기 위해 음식물 공급 튜브(연결관)를 사용하는 시술을 고려할 수 있습니다.

초기 단계에서는 비위관(L튜브, 코줄)을 사용하여 환자에게 영양을 공급합니다. 이 방법은 코를 통해 비위관을 삽입하여 위로 직접 음식물을 전달하는 방식으로, 비교적 간단한 시술로써 단기간 동안 사용하기에 적합합니다. 하지만 한 달 이상 구강 섭취가 불가능하거나 장기간 영양 공급이 필요한 경우, 더 안정적이고 장기적인 해결책으로 위루관(G튜브, 배줄)으로 교체하는 것을 고려할 수 있습니다. 위루관은 직접 복부의 위에 구멍을 만들어 튜브를 삽입하는 방식으로, 이 튜브를 통해 음식물을 위로 직접 전달합니다.

위루관의 직경이 비위관보다 크기 때문에 더 다양한 종류의 음식과 영양 공급이 가능하며, 이는 환자의 영양 상태 개선에 크게 기여합니다. 또한, 위루관은 장기간 사용에 더 적합하며, 환자의 편안함과 생활의 질을 향상시키는 데에도 도움을 줍니다. 연하 장애가 있는 환자들에게 적절한 음식물 공급 방법을 선택하고 관리하는 것은 중요한데, 이는 영양 상태 유지뿐만 아니라 폐렴과 같은 합병증을 예방하고 환자의 전반적인 건강과 회복을 지원하는 데 필수적입니다. 따라서, 각 환자의 상황과 필요에 맞게 최적의 영양 공급 방법을 선택하고 주기적으로 평가하여 필요에 따라 조정하는 것이 중요합니다.

2.2. 위루관이란

위루관(Gastrostomy tube, G튜브)은 특히 장기간 영양 공급이 필요한 환자에게 사용되는 장치입니다. 이는 복부 피부를 수술로 뚫어 만든 작은 구멍을 통해 직접 위장에 삽입되는 좁고 속이 빈 튜브입니다. 위루관을 통해 환자는 액체 식사, 영양 보충제 및 약물을 직접 위로 전달받을 수 있으며, 이는 삼킴 곤란을 겪거나 구강을 통한 영양 섭취가 불가능한 환자에게 특히 유용합니다. 위루관을 사용함으로써 환자의 영양 상태를 향상시키고, 영양 결핍으로 인한 합병증을 예방할 수 있습니다.

비위관(L-tube, Levin tube), 일명 콧줄은 코와 식도를 통해 위장에 연결하는 더 일시적이고 비침습적인 영양 공급 방법입니다. 비위관은 코를 통해 삽입되며, 이 튜브를 통해 환자는 액체 식사와 영양 보충제를 받을 수 있습니다. 비위관은 주로 단기적인 영양 지원이 필요한 환자에게 사용되며, 수술이 필요하지 않은 비교적 간단한 절차로 적용됩니다. 비위관은 설치가 용이하고 환자의 회복 과정에서 식사능력이 개선될 것으로 기대되는 경우에 자주 선택되는 방법입니다.

- 연하장애 1부(콧줄케어방법)
  https://youtu.be/LM79X21xQX0
- 연하장애 2부(콧줄케어방법)
  https://youtu.be/LM79X21xQX0
- 위루관 삽입방법
  https://m.blog.naver.com/bos2049/220771047784
  https://youtu.be/Q-aw5mc2PF4

2.3. 위루관 관리가 중요한 이유

와상 상태에 있는 환자들 대부분은 위루관이나 비위관을 사용하고 계신 분들이 대부분입니다. 위루관을 통해 음식을 공급하는 환자에게는 과식이 절대 금물입니다. 과식은 바로 사망과 직결된다고 생각하시면 됩니다. 체력 유지와 소화 가능한 선에서 필요한 양을 넘지 않는 선에서 드려야 합니다.

왜냐하면 위루관을 사용하시는 분들은 대부분 연세가 있으셔서 위 상부의 괄약근이 열려 있는 상태로 과식하거나 상체를 하체와 같은 높이로 한다면 위장에 있는 내용물이 역류되어 기도로 들어가게 되면 폐렴 유발과 심하면 기도 막힘 등으로 인해 사망에 이를 수 있습니다. 코를 통해 삽입한 코줄(L튜브) 비위관과 (G튜브) 위루관을 사용했을 경우에는 바로 위로 음식물이 들어가기 때문에 소화력도 약하고 위 상부 괄약근도 열려 있기 때문에 특히 유념해야 합니다.

음식을 드린 후에는 최소 1시간 정도는 옆에서 소화 여부를 반드시 지켜 보는 것이 안전하고 좋습니다.

음식물 섭취가 중간에서 이루어진다고 생각하시면 이해가 쉽습니다. 통상적으로 일반적인 음식물 섭취는 구강을 통해 섭취하면 모든 것을 입구에서부터 밀고 내려가는 형태이나, 위루관이나 비위관을 통해 섭취하게 되면 소화기관 중간에 투여되어 구강 쪽이 가깝기 때문에 식도와 구강 방향으로 기포나 음식물이 밀고 올라오게 됩니다.

이때 올라오면서 기도로 음식물이나 이물질이(흡인) 들어가게 됩니다. 이럴 경우에는 기도를 막거나 흡인성 폐렴을 유발하게 됩니다. 만약 연하 장애가 있는 환자가 구강으로 섭취하다가 기도가 막히거나 폐로 흡인되는 것과 같은 상황이 발생합니다. 이러한 경우 신속하게 흡인기(석션기)를 이용하여 제거해야 합니다. 그러므로 식사 후 최소한 30분 이상 환자 곁에서 대기하여 위험한 상황이 되지 않도록 해야 합니다.

이러한 환자를 집중해서 관리를 해야 하는데, 공동 관리를 하는 요양 시설에서는 이러한 환자 관리가 불가능한 이유입니다.

2.4. 반드시 지켜야 할 사항

첫째, 처음 위루관을 통한 식사량을 얼마 동안 지속하다 보면 환자가 항상 와상(누워) 상태로 있으므로 체력과 신체 운동 부족으로 인해 소화력이 점차적으로 약해지기 때문에 소화 상태를 확인하면서 식사량을 적정량으로 줄여 나가야 합니다. 식사 시에 입안으로 역류를 하거나 소화될 시간이 경과되었는데도 음식물 투입 전 주사기로 흡입해봤을 때 잔여 음식물이 빨려 나올 때에는 다른 문제가 있어서 소화가 되지 않는지 아니면 없는데 소화가 되지 않았을 경우에는 식사량을 줄여야 합니다.

둘째, 그런데 여기서 소화제로 문제를 해결하려 하면 또 다른 문제가 발생하게 됩니다. 항상 체력이 허락하는 한도 내에서 해야 다른 부작용이 발생하지 않습니다. 예를 들어, 소화제는 위산 분비를 촉진시켜서 위벽을 상하게 하여 위벽을 보호하는 약을 또 투여하게 됩니다. 속이 쓰려 위장약을 투여하게 되는데, 이 약은 위산 분비를 억제시키는 약으로 상호 반대 작용을 하여, 말하자면 병을 주고 약을 주는 현상을 초래하게 되는 것입니다.

또 위장약을 복용하게 되면 변비가 유발되어 변비약도 복용해야 되는 문제를 발생하게 됩니다. 모든 약은 거의 부작용을 동반하게 되므로, 우리 몸을 자연 치유력으로 치료하는 것을 원칙으로 하면 약 복용에 따른 부작용을 줄일 수 있습니다.

셋째, 식사를 주입하기 최소 30분 전에 물을 미리 투여하면, 이는 위 내용물의 적절한 희석을 도와 소화를 촉진하고, 식사 주입 시 음식물이 튜브를 통해 역류하여 기도로 올라오는 것을 방지하는 효과가 있습니다. 또한, 적절한 수분 공급은 환자의 전반적인 수분 균형을 유지하는 데도 도움이 되며, 수분 상태가 잘 관리되면 소화기계의 기능도 개선될 수 있습니다. 따라서 환자의 식사 계획을 세울 때는 물 투여와 식사 주입 사이에 충분한 시간(30분) 간격을 두는 것이 중요하며, 이를 통해 환자의 안전과 건강을 보다 효과적으로 관리할 수 있습니다.

넷째, 배변은 체력이 있는 와상 상태 초기에는 거의 매일 가능하나 점점 기력이 소진되어 가다 보면 움직임도 적고 운동이 불가하므로 변비약에 의존할 수밖에 없는 시기가 도래하는데, 매 식사마다 변비약을 투여하다 보면 몸에도 좋지 않고 약 부작용도 발생할 수 있으니 최대한 복용 횟수를 줄일 수 있도록 3일 또는 4일에 한 번씩 복용하여 배변을 할 수 있도록 하는 요령이 필요합니다. 배변이 원활하게 되게 하기 위해서는 변비약 복용 후 복부를 손으로 시계 방향으로(대장이 시계 방향으로 위치) 마사지 해드리면 좀 더 쉽게 배변이 이루어집니다. 변비약은 수십 가지가 있으나 그 중에서도 부작용이 적은 락툴로오스 계열의 변비약으로 사용하면 좋을 듯합니다. 이 약은 변에 수분을 침투시켜 배변이 원활하게 되게 하는 변비약으로 약 복용 시 물을 충분한 양을 함께 투여를 해야 배변이 원활하게 이루어집니다.

그런데 중요한 것은 고령이고 기력이 없는 상태의 환자에게 한꺼번에 많은 양의 물을 투여한다면 물이 역류하여 위험을 초래하게 됩니다.

그러므로 약 투여 시 처음에 물 30cc 정도 먼저 드리고 변비약을 투여한 후 바로 30~20cc 의 물을 투여후 15분~20분 경과 후 물이 위에서 장으로 내려간 후에 투여를 하면 물이 기도 역류를 방지하고 안정적으로 변비약 투여가 가능하게 됩니다. 15분~20분 간격으로 추가하여 120cc에서 150정도만 물을 공급하여도 배변이 원활하게 이루어집니다.

다섯째, 음식물 투여 시 사용하는 주사기, 피딩 백, 또는 튜브(공급줄) 내에 공기가 들어 있는 경우, 이를 제거한 후에 음식물을 투여해야 합니다. 음식물과 함께 공기가 위장으로 들어가게 되면, 공기는 상승하려는 경향이 있으며, 이 과정에서 생성되는 기포는 위 내용물과 함께 역류할 수 있는 위험을 증가시킵니다. 이러한 역류 현상은 특히 위루관이나 비위관을 사용하는 환자들에게 위험할 수 있으며, 역류된 위 내용물이 기도로 유입되는 위험이 발생하게 됩니다.

따라서 음식물을 투여하기 전에는 주사기나 피딩 백을 사용하여 음식물을 준비할 때, 주의 깊게 공기를 제거하는 과정을 거쳐야 합니다. 공기 제거는 음식물 투여 경로를 수직으로 세워 공기가 상부로 모이게 한 후, 주사기의 플런저를 살짝 누르거나 피딩 백의 튜브를 가볍게 탭하여 공기를 밀어내는 방법으로 이루어질 수 있습니다. 이러한 주의 사항은 환자의 안전을 보장하고, 음식물 투여 과정에서 발생할 수 있는 합병증을 예방하는 데 중요한 역할을 합니다.

2.5. 관리 체크리스트

1) 비위관 시술을 받은 환자의 관리에서 매우 중요한 점은 콧줄

누구나 쉽게 배우는 집에서 혼자 환자 돌보기 매뉴얼

이 제대로 위치해 있는지 식사 시마다 확인합니다. 콧줄이 제 위치에서 벗어나 빠져나오거나 이동했을 경우, 튜브의 끝이 기도 입구근처에 위치하게 되어 음식물이나 액체가 폐로 직접 주입될 위험이 있습니다.

2) 위루관(G튜브) 시술환자는 매일 G튜브의 상태를 점검하고, 필요한 소독 및 거즈 교체를 실시합니다. 이는 감염 위험을 최소화하고, 튜브 주변의 피부를 건강하게 유지하는 데 필수적입니다. G튜브 주변의 피부를 정기적으로 청결하게 관리하고 소독함으로써, 피부 자극이나 감염, 염증과 같은 문제를 예방할 수 있습니다. 거즈는 튜브와 피부 사이에 위치하여 추가적인 보호층을 제공하며, 습기나 분비물이 피부를 자극하는 것을 방지합니다. 거즈가 젖거나 오염되었을 경우, 즉시 교체하여 피부가 항상 건조하고 청결하도록 유지하는 것이 중요합니다.

3) 음식물을 투여하기 전에 주사기를 사용해 위장 내 잔여량을 확인 후 음식물을 투여합니다. 만약에 남아있을 경우 30분 이상 기다렸다가 재확인 후 음식물을 주입합니다. 내용물이 과도하게 쌓이는 것을 방지하여 역류나 흡인과 같은 위험을 최소화하기 위함입니다. 기다리는 시간을 통해 위장이 이전에 투여된 음식물을 소화하고 비워낼 수 있도록 하며, 이후 음식물을 안전하게 주입할 수 있는 환경을 마련합니다.

4) 음식물 투여 시 환자의 상체를 45도 이상 올립니다. 이 자세는 중력을 이용해 음식물이 위장으로 자연스럽게 이동하도록 도

와주며, 음식물이나 위액이 역류하여 기도로 들어가는 것을 방지합니다. 특히 위루관이나 비위관을 통한 음식물 투여 시 이러한 주의 사항은 더욱 중요합니다. 음식물 투여 후에는 환자가 약 한 시간 이상 이 상태를 유지하도록 하여 소화 과정이 원활히 진행되도록 합니다. 소화 상태를 확인한 후에는 환자의 상체를 천천히 내려도 됩니다.

5) 환자에게 소화 가능한 양만을 투여합니다. 각 환자의 소화 능력은 건강 상태, 연령, 활동 수준 등 여러 요인에 따라 다르기 때문에 이를 고려하여 적절한 양의 음식물을 제공해야 합니다. 과도한 양의 음식물을 투여하는 것은 욕심이 될 수 있으며, 이는 위장의 과부하, 소화 불량, 음식물 역류 및 흡인과 같은 위험을 초래할 수 있습니다. 음식물의 양을 조절함으로써 환자의 소화 시스템에 부담을 주지 않고, 소화와 흡수 과정을 원활하게 하여 환자의 전반적인 건강 상태와 안정을 유지할 수 있습니다.

6) 식후마다 위루관을 세척하면 좋으나 하기 어려울 경우에는 저녁 식사 후에는 반드시 튜브 세척솔을 이용하여 세척해야 합니다. 물을 통과시켜 세척이 가능한 경우는 위루관 교환 후 2~3일 정도만 세정이 되나 그 후에는 튜브관 속에 음식물이 달라붙어 부패하게 됩니다. 부패를 예방하기 위하여 세척솔을 끓는 물에 소독 후에 사용해야 합니다. 이 과정은 튜브와 위루관이 항상 깨끗하고 안전한 상태를 유지할 수 있도록 도와주며, 감염의 위험을 최소화합니다. 세척 후에는 세척솔을 잘 건조시켜 다음 사용 때까지 보관하는 것이 중요합니다.

체크리스트
위루관

□ **식사시 콧줄의 위치를 확인**
　　➔ 폐로 음식물이 주입되는 것을 방지

□ **매일 G튜브 상태 점검**
　　➔ 필요한 경우 소독 및 거즈를 교체

□ **음식물 투여 전 위장 내 잔여량을 확인**
　　➔ 내용물이 과도하게 쌓이는 것을 방지

□ **음식물 투여 시 환자의 상체를 45도 이상으로 높이기**
　　➔ 음식물이나 위액의 역류를 방지

□ **환자가 소화 가능한 양만을 투여**
　　➔ 과부하 및 소화 불량을 방지

□ **식사 후 튜브 세척솔로 위루관 세척**
　　➔ 세척솔도 끓는 물 소독

3. 욕창 관리

3.1. 욕창 관리의 중요성

욕창은 와상 환자에게서 자주 발생하는 질병으로, 기력이 있는 초기에는 발생하지 않으나 기력이 소진되어 체력이 떨어져 있을 때는 멀쩡한 부위도 하루이틀 사이에 발생하게 되는 게 욕창입니다. 이 욕창은 초기에 처치를 해야 빠른 시일 내에 치료가 되나 방치하면 상처가 깊어져 치료에 긴 시일이 필요하게 되고 심하면 사망에까지 이르게 되는 무서운 질병입니다.

욕창이 발생하게 되면 그때부터는 침대와 닿는 신체 모든 부위를 매일 살펴 조금이라도 발생할 기미가 보인다면 초기에 치료를 하여 심한 상태가 되지 않도록 해야 합니다. 발생 초기에는 수포가 생기고 이것을 방치하면 벌겋게 피부가 변하면서 바로 창상이 발생하게 됩니다. 신체가 침대면과 밀착되어 혈액 순환이 되지 않아 피부 조직에 괴사가 일어나는 질병으로 체위 변경과 매일 피부를 살펴보아야 합니다.

3.2. 욕창이 주로 발생하는 부위와 예방법

3.2.1. 욕창이 주로 발생하는 부위

욕창은 특히 신체의 압력이 집중되는 부위에 잘 발생합니다. 이는 튀어나온 뼈가 있는 부위에서 피부와 침대 사이에 지속적인 압력이 가해질 때 혈액 순환이 방해받아 피부 조직이 손상되고 결국 괴사로 이어지는 과정 때문입니다. 욕창이 잘 발생하는 부위로는 머리 뒤, 등, 팔꿈치, 발뒤꿈치, 귀, 어깨, 엉덩이 옆면, 무릎, 복숭아뼈 등이 있습니다. 특히 꼬리뼈나 엉덩이뼈 옆부분, 그리고 팔과 다리의 뒤꿈치는 체중이 집중되기 쉬운 부위로 욕창 발생의 일순위에 속합니다.

환자가 상체를 올릴 때 발생하는 슬라이딩 현상은 몸이 경사진 채로 다리 쪽으로 쏠리면서 침대면과의 마찰을 증가시키고, 이는 욕창 발생 위험을 더욱 높입니다. 따라서 욕창 관리에서는 이러한 위험 부위에 대한 주의와 함께, 정기적인 체위 변경을 통해 특정 부위에 지속적인 압력이 가해지는 것을 방지하는 것이 중요합니다. 또한, 적절한 지지대 사용과 부드러운 침대 커버 등을 통해 압력을 분산시키고 마찰을 최소화하는 것도 욕창 예방에 도움이 됩니다.

3.2.2. 욕창 예방법

욕창 예방을 위해 환자의 체위 변경을 자주 하는 것은 필수적이며, 이를 통해 한 부위에 지속적으로 가해지는 압력을 줄일 수 있습니다. 하지만 체위 변경을 자주한다해도 욕창이 발생하게 되는데 추가적인 예방 조치가 필요합니다. 욕창 방지 매트리스나 패드의 사용은 압력 분산을 도와 피부에 가해지는 압력을 줄이는 데 효과적입니다.

또한, 피부 마사지는 혈액 순환을 촉진하여 피부 조직의 건강을 유지하는 데 도움이 됩니다. 피부가 깨끗하고 건조하게 유지되도록 관리하는 것도 중요합니다. 습기는 욕창 발생을 촉진할 수 있으므로, 환자가 땀을 많이 흘리는 경우, 통기성이 좋은 면 섬유로 만든 침구를 사용하여 습기가 피부에 머무르지 않도록 해야 합니다. 이러한 조치들을 종합적으로 적용함으로써, 와상 환자에서 욕창의 발생을 효과적으로 예방할 수 있습니다.

3.3. 도움이 되는 제품

욕창 매트리스, 봉(긴 막대 형식으로 공기 교대 부양)으로 된 제품, 욕창 방석, 욕창 방지 자세 변환 쿠션, 발 욕창 뒤꿈치 케어 쿠션 케어, 욕창 방지 도넛 베개, 귀·머리 욕창 베개, 욕창 방지 쿠션, 엉덩이 허리 꼬리뼈 방석, 상체를 올렸을 때 슬라이딩 방지 삼각 매트.

- 욕창 치료 연고 및 방지 제품, 피부 보호제 사용법
  https://m.blog.naver.com/godrn79/222328215141
- 욕창 방지 매트리스, 방석 등 사용법
  https://youtu.be/GeqAEQCOWsI?si=xKZnwMl3U3KWg5fP
- 욕창 상처 소독 약물의 사용 방법 및 어떤 소독약을 선택해야 하는지 설명과 이유
  https://youtu.be/XMbMLsONUKw?si=s0kdKarRUgMYwBYw

3.4. 욕창 치료 방법

욕창은 멀쩡한 부위도 하루 만에 발생할 수 있습니다. 욕창이 발생했을 경우 초기에 적극적으로 치료하지 않으면 뼈 부위까지 깊게 창상이 진행되어 치료가 어렵거나 피부 이식까지 해야 하는 상황이 됩니다. 욕창은 압박에 의해 혈액 순환이 되지 않아 피부가 부패되는 상황을 말합니다. 욕창 발생을 예방하기 위해서는 체위를 자주 변경해주고 마사지를 자주 하고 방지 매트, 욕창 방지 도구 등을 활용해야 합니다. 침구와 닿는 부분을 살펴서 피부에 붉은 반점이 생겼을 때에는 바로 관리를 해야지 방치하면 바로 욕창으로 진행됩니다.

가. 치료 방법은 피부 환부에 염증 소견이 있을 경우에는 상처 소독제 원액을 사용하고, 욕창이 진행되어 심한 경우에는 소독제를 생리식염수와 희석해서 활용해야 합니다. 이유는 소독제 원액

이 세포를 파괴하는 문제가 있어 희석하거나 생리식염수로만 소독하고 치료하는 것입니다. 매일 환부를 소독제 또는 생리식염수로 소독하고, 욕창 연고를 환부에 도포하고, 수분을 먹인 거즈를 환부에 대고, 그 밖에는 분비물을 흡수할 수 있는 두꺼운 거즈나 폼 드레싱 등을 활용하여 공기가 통하는 부직포 반창고 등으로 거즈를 고정합니다.

나. 욕창 환부에 통풍을 시키는 것은 치료 과정에 도움이 될 수 있습니다. 공기 접촉은 환부를 건조시켜 추가적인 감염 위험을 줄이며, 상처 치유 과정을 촉진할 수 있습니다. 특히 습윤 환경은 세균 번식의 온상이 될 수 있기 때문에 적절한 통풍은 이러한 위험을 낮추는 데 기여합니다. 그러나 환부를 장시간 노출시킬 경우 감염 위험이 증가하고, 과도한 건조로 인해 피부가 더 손상될 수 있으므로 주의가 필요합니다. 따라서 환부를 짧은 시간 동안 공기에 노출시키는 것은 유익할 수 있지만, 이때 환경의 청결을 유지하고, 환부를 지속적으로 모니터링하여 부작용이 발생하지 않도록 해야 합니다.

다. 욕창의 치료 방법으로 치료해주는 사람과 환자의 상태에 따라서 적용이 다를 수 있는데, 초기에는 소독하고 욕창 연고를 바르고 습윤 드레싱을 도포하면 치료가 되어가나 환부에 압박이 가해지지 않도록 체위 변경을 해야 하는 것이 중요합니다. 치료를 아무리 잘한다 해도 환부에 압박이 가해지면 치료가 잘 되지 않습니

누구나 쉽게 배우는 집에서 혼자 환자 돌보기 매뉴얼

다. 욕창을 치료하는 좋은 환경은 피부조직에 외부에서 물리적인 압력이나 힘이 가해지지않도록 해야합니다. 창상 부위에 새살이 돋아나야 하는데 물리적인 힘이 가해진다면 상처 치유에 장애가 되어 치료가 잘 되지 않습니다.

라. 욕창의 심한 정도에 따라서 치료방법은 다를수 있습니다. 다음은 깊은 상처를 치료하는 방법입니다. 희석된 소독제 또는 생리식염수로 환부를 소독한 후 욕창 연고 도포 전 마데카솔 분말을 안개처럼 적은 양 분사한 후 욕창 연고 도포 후 5겹 거즈나 우레탄 폼 5mm 두께 등을 사용하여 환부를 덮어 환부에서 나오는 진물 등을 흡수해내어 새살이 돋아나는 환경을 유지해주면 되는데, 우레탄 폼보다는 두꺼운 거즈가 치료 효과가 좋습니다. 거즈도 그냥 거즈만으로 된 것 말고 거즈 속에 솜이 포함되어 흡수력이 좋은 욕창 전문 제품이 있습니다.

욕창치료시 소독액을 희석해서 사용해야 하는 이유는 소독약 원액은 살균력이 강하여 상처에서 생성되는 약한 세포에 영향을 주어 잘 치료가 되지 않기 때문입니다. 소독액은 대부분 단백질을 분해하여 병원균을 죽이는 작용을 하기 때문에 상처치유에 영향을 주기 때문입니다.

마. 욕창이 발생한 후 시일이 지난 후에 환부를 보면 환부 속에 상처가 치료된 것 같은 가피(가짜 피부)라고 부르는 것이 자리잡고 있는 경우가 있습니다. 이것은 피부처럼 상처 치료가 된 것처

럼 보입니다. 그런데 그 물질을 제거하고 치료를 해야 합니다. 그
것을 모르고 계속 겉만 치료하는 결과를 낳게 되는데, 속에서는 계
속 상처가 깊게 파고 들어가고 있는 것입니다. 그 물질을 제거하
고 보면 구멍이 뚫려 허공이 되어 있는 것을 볼 수 있습니다. 제거
하고 아침저녁으로 두번 치료하게 되면 치료 효과도 더 좋습니다.

　바. 도포하는 치료약은 욕창과 같은 피부 상처의 치료 과정에
서 염증을 방지하고 감염의 위험을 줄이는 데 보조적인 역할을 합
니다. 이러한 치료제는 상처 부위의 환경을 개선하여 치유 과정을
돕지만, 실제로 새살을 돋우고 몸을 정상 상태로 회복시키는 능력
은 우리 몸 자체의 자연 치유 능력에 기인합니다. 우리 몸은 손상
된 조직을 복구하기 위해 성장 인자, 세포와 단백질을 포함한 다양
한 회복 물질을 분비합니다. 이러한 자연 회복 과정은 상처 치유
의 핵심이며, 적절한 영양 섭취, 충분한 휴식 및 건강한 생활 습관
을 통해 더욱 촉진될 수 있습니다. 따라서 치료약의 사용은 이러
한 자연 치유 과정을 보조하고 최적화하는 데 중요한 역할을 하지
만, 궁극적인 치유는 몸 자체의 복구 능력에 의해 이루어집니다.

　사. 욕창의 치료는 의료진 혼자서만 이루어지는 것이 아닙니
다. 효과적인 치료를 위해서는 의료진, 환자를 간호하는 사람,
그리고 영양분 섭취상태 이 세 가지 요소가 모두 조화롭게 작용
해야 합니다. 실력 좋은 의료진이 치료를 주도할지라도, 환자
의 케어 과정에서 환부에 데미지를 입히지 않도록 체위 변경이

어떻게 잘 이루어지는지와, 상처에 새살이 돋도록 재생하는데 필요한 영양 공급이 어떻게 이루어지느냐가 중요합니다. 이 세 가지 요소 중 하나라도 충족되지 않으면 욕창 치료의 효과가 제대로 나타나지 않을 수 있습니다. 따라서 욕창 치료는 의료진, 간호인, 그리고 영양 공급 상태를 종합적으로 고려하는 접근이 필요합니다.

- 욕창치료 동영상
  https://youtu.be/XG1bdx-TAPY?si=nXcu2PoYTQety79Z

3.5. 관리 체크리스트

　가. 식사 시에는 예외로 하고, 바로 눕기와 좌우로 눕기를 2시간 간격으로 번갈아 가며 자세 변환을 하는데, 좌우로 변환할 때 30도 이내로 하는 것은 그 이상으로 할 경우에는 침상에 닿는 부분에 압력이 분산되지 않고 집중되어 혈액 순환에 악영향을 주기 때문입니다. 바로 누운 자세에서는 30도 이상 상체를 올릴 경우 꼬리뼈 부분에 하중이 집중되면서 슬라이딩 되어 마찰도 생겨 욕창 발생을 촉진하는 문제가 발생하므로, 30도 이내로 하는 것이 요령입니다. 이러한 내용을 숙지하고 체위 변경을 하고 있는지 확인해야 합니다.

나. 욕창이 많이 발생하는 부위 특히 뼈 돌출부위 도구를 이용하여 눌리지 않도록 하고 있는지 체크해야 합니다.

욕창 예방을 위해 이러한 부위를 보호하고, 도구를 이용하여 압력을 분산시키는 것이 중요합니다. 예를 들어, 압력 분산 매트리스나 쿠션, 특수 베개 등을 활용할 수 있습니다. 이런 도구들은 뼈 돌출 부위에 가해지는 압력을 줄이며, 피부와 매트리스 사이의 공기 순환을 돕습니다.

또한, 환자의 자세를 정기적으로 바꾸는 것도 중요합니다. 이는 압력이 지속적으로 가해지는 것을 방지하고, 피부에 산소와 영양소 공급을 돕습니다. 자세 변경은 최소한 2시간마다, 가능하다면 1시간마다 해야 합니다.

다. 환자를 이동시킬 때는 항상 주의가 필요합니다. 환자를 옮길 때는 끌지 말고 들어서 옮기는 것이 중요합니다.

환자를 들어서 옮길 때는 가능하면 두 명 이상의 사람이 함께 작업해야 하며, 환자의 체중을 고르게 분산시켜야 합니다. 이는 환자에게 불필요한 부담을 주지 않도록 보장하고, 안전한 이동을 위한 중요한 점입니다.

또한, 환자의 상태와 필요에 따라 이동 도구를 사용할 수 있습니다. 휠체어나 스트레쳐 (환자운반차) 등의 도구는 환자의 안정성을 유지하면서도 이동을 돕습니다.

환자를 옮길 때는 항상 환자의 안전을 최우선으로 생각하고, 적절한 방법과 도구를 사용하여 이동해야 합니다.

라. 욕창 방지 매트리스가 잘 동작하고 있는지 점검해야 합니다. 공기 압력이 적절한지, 고장이나 손상 부위가 없는지 등을 확인해야 합니다. 특히, 전동식 매트리스의 경우 전원과 모터 상태, 공기 주입 상태 등을 점검해야 합니다.

이러한 점검은 매트리스의 기능을 유지하고, 환자에게 최적의 편안함과 보호를 제공하도록 합니다. 따라서, 매트리스의 정기적인 점검은 환자의 편안함과 욕창 예방에 꼭 필요한 관리 방법입니다.

바. 균형 잡힌 식사를 하고 있는지 체크해야 합니다. 균형 잡힌 식사는 필수적인 영양소를 제공하고, 체력을 유지하며, 병원체에 대한 저항력을 높이는데 중요한 역할을 합니다.

단백질은 이 중에서도 특히 중요한 영양소입니다. 단백질은 우리 몸의 세포를 구성하고, 조직을 수리하며, 면역체계를 강화하는 데 필요합니다. 또한, 고단백 식품은 욕창이 발생하는 환자에게 특히 중요합니다. 단백질은 피부와 근육을 회복시키는 데 필요한 주요 성분이기 때문입니다.

아. 대소변 후 청결상태를 유지하는 것이 중요합니다. 요실금이나 변실금이 발생하면, 피부에 오랫동안 오염물질이 머무르게 되어 피부 문제나 감염을 일으킬 수 있습니다. 따라서, 대소변 후에는 즉시 청결한 상태를 유지하도록 해야 합니다. 이는 적절한 세정과 건조, 그리고 필요한 경우 가벼운 스킨 케어 제품의 사용을 포함합니다.

환자의 청결 상태를 유지하기 위해, 침대 시트는 항상 깨끗하게 유지하고, 오염된 경우 즉시 교체해야 합니다. 또한, 요실금이나 변실금이 자주 발생하는 환자의 경우, 특별한 보호 속옷이나 패드를 사용하는 것이 도움이 될 수 있습니다.

자. 환자의 피부 건강을 유지하기 위해서는 항상 건조한 상태를 유지하는 것이 중요합니다. 젖은 침구나 환의는 피부 문제를 일으킬 수 있으며, 특히 욕창이나 감염 등의 위험을 높일 수 있습니다.

따라서, 침구나 환의가 젖었을 경우에는 즉시 교환해야 합니다. 이는 환자의 편안함을 위함이며, 또한 피부 건강을 보호하기 위한 것입니다. 교환 후에는 피부를 부드럽게 닦아 건조한 상태를 유지하는 것이 좋습니다.

차. 반창고 자극 및 외부 자극에 의한 피부 찰과상이나 등 상처 관리를 해야 합니다. 환자의 피부는 다양한 외부 자극에 노출되어 있습니다. 이에는 반창고 자극, 매트리스나 의자에 의한 압력, 옷감에 의한 마찰 등이 있습니다. 이러한 자극은 피부를 손상시킬 수 있습니다.

따라서, 피부 상태를 주기적으로 확인하고, 필요한 경우 적절한 처치와 관리를 하는 것이 중요합니다. 이는 찰과상이나 상처가 발생했을 때 즉시 발견하고, 적절한 치료를 시작하여 더 심한 문제를 예방하는데 도움이 됩니다.

카. 상체를 위로 올릴 때 욕창 발병 여부를 수시로 확인하는 것도 중요합니다. 환자의 안전과 건강을 위해 역류 방지를 위해 상반신을 들어올리는 경우가 많습니다. 그러나 이러한 자세는 환자가 아래로 슬라이딩 되면서 꼬리뼈 부위에 압력이 가해지는 결과를 초래할 수 있습니다. 이는 욕창 발생의 주요 원인 중 하나이며, 특히 꼬리뼈는 욕창 발생이 잦은 부위입니다.

따라서, 엉덩이 부위를 삼각형 보조 매트로 잘 받쳐 아래로 밀리지 않도록 주의를 기울여야 합니다. 이는 환자의 안정성을 유지하고 꼬리뼈 부위의 압력을 줄이는 데 도움이 됩니다.

체크리스트

욕창

☐ **2시간 간격으로 번갈아 자세 변환**
　　➜ 좌우로 변환할 때 30도 이내로

☐ **뼈 돌출부위 체크**
　　➜ 도구를 이용하여 압력 분산시키기

☐ **이동시 끌지 말고 들어서 옮기기**
　　➜ 둘 이상의 사람이 함께, 이동 도구 활용하기

☐ **욕창 방지 매트리스 작동 점검**
　　➜ 공기 압력, 고장/손상 부위 체크하기

☐ **균형 잡힌 식사하기**
　　➜ 체력 유지 및 면역력을 증가시키기 위해서

☐ **대소변 후 청결 유지**
　　➜ 피부 문제 및 감염 방지

☐ **건조한 상태 유지**
　　➜ 젖은 침구나 환의는 피부문제 및 욕창 및 감염 위험

☐ **피부 찰과상 등 상처관리**
　　➜ 반창고 및 외부자극에 의해 피부 손상 방지

☐ **상반신 들어올릴 때 주의하기**
　　➜ 꼬리뼈 부위 압력이 가해지는 결과 방지

4. 배변 관리

4.1. 배변 관리의 중요성

흔히 말하는 건강의 척도는 잘 먹고, 잘 배출하고, 잘 자면 건강에 이상이 없다고 합니다. 잘 섭취하는 것만큼 배설도 아주 중요합니다. 이것을 오랜 시일 동안 방치하면 장 폐색 등을 유발할 수 있고 장 괴사를 초래할 수 있어 사망에 이르는 아주 중대한 상황을 초래하게 됩니다.

젊은 때에는 쇠도 먹으면 소화가 된다고 할 정도로 왕성한 소화력이 있으나 나이가 들어 감에 따라 모든 기관이 노화 및 쇠퇴해지므로 원활한 소화 및 배변이 되지 않습니다.

건강한 사람도 움직이지 않고 활동을 하지 않으면 소화가 잘 되지 않아 소화기관에 이상이 생기는 경우가 있는데 항상 와상 상태로 있는 환자의 경우에는 당연히 배변에 어려움을 겪을 수밖에 없습니다.

배변에 어려움을 겪고 있는 경우에는 병원에서는 매일 변비약을 복용할 수 있도록 처방을 해주는데 변비약도 약리작용이 여러 가지로 미치는 약물이 처방되는데 시중에서 장운동을 활성화 해주는 약들은 주로 활동이 가능한 사람들이 복용하는 약물로 세상 모든 약이 그렇듯이 이 약물은 처음에는 효과가 있으나 점점 약해져서 나중에는 효과가 사라져서 약 복용량과 회수를 늘려야 약효를 느낄 수 있게 되다가 전혀 효과가 없어지는 상태가 옵니다.

와상 상태에 있더라도 비교적 건강 상태가 양호할 경우에는 변비약이 없어도 배변이 잘 되는데 점점 몸 상태가 쇠약해지면서 배변도 힘들어지는 상태로 진행이 됩니다. 배변 관리도 건강 유지에 직결되는 중요한 부분입니다.

4.2. 변비 관련하여 발생하는 대표적인 원인 및 해결방법

변비가 발생하는 큰 이유는

▶ 환자의 상태 – 장기간 누워 있는 환자는 장의 움직임이 둔화되므로 변비가 발생하기 쉽습니다. 이는 장의 움직임이 소화물을 밀어내는 데 중요한 역할을 하기 때문입니다. 따라서, 가능한 한 환자의 움직임을 촉진하는 것이 중요합니다. 이는 물론 환자의 상태에 따라 달라지지만, 간단한 스트레칭이나 체위 변경 등을 통해 장의 움직임을 돕는 것이 가능합니다.

▶ 변비유발 물질 – 변비를 유발하는 물질에는 밀가루(글루텐 성분)가 포함됩니다. 글루텐 성분은 수분을 빨아들여 소화 장애와 변비를 유발합니다. 초콜릿, 과자, 설탕, 달걀, 유제품, 튀김류, 카페인, 술, 덜 익은 바나나, 덜 익은 감 등도 변비를 유발하는 음식입니다. 감과 바나나는 타닌 성분이 대장의 수분을 흡수하여 변이 단단해져서 배변이 잘 되지 않는 문제를 일으킵니다. 또한, 붉은 육류도 변비를 유발할 수 있습니다. 적은 양을 섭취해서 변비 증상이 나타날 수도 있지만, 체질에 따라 증상이

없을 수도 있습니다. 장기적으로 섭취를 한다면 변비가 발생할 수 있습니다.

▶ 변비유발 약물 – 마약성 진통제, 항고혈압제, 알루미늄 포함 제산제, 진경제를 포함한 항콜린제, 항경련제, 항우울제, 항히스타민제(1세대), 지사제, 파킨슨병 치료제, 일부 혈당강하제, 칼슘제제, 철분제제 등 부작용으로 변비를 유발하는 성분들이 있습니다.

변비는 변이 대장에 머무는 동안 수분 흡수가 지속적으로 이루어지기 때문에 변이 딱딱하게 되면서 생기게 되며, 운동 부족 등 신체 활동이 없다면 장 운동 저하 등 여러 요인으로 인하여 배변이 원활하게 되지 않아 배변이 지체되면서 장에 머무르다 보면 수분이 빠져나가 변비로 나타나게 됩니다. 와상 환자 대부분을 이러한 이유로 변비가 발생하게 됩니다.

해결방법

우선적으로 수분 공급의 중요성을 강조할 수 있습니다. 충분한 수분 섭취는 대변을 부드럽게 만들어 변비를 예방하고 완화하는데 큰 도움이 됩니다. 실제로 일상적으로 충분한 양의 물을 마시는 것만으로도 변비 증상이 크게 개선될 수 있습니다. 또한, 변비를 유발할 수 있는 음식과 약물의 섭취를 피하면서, 동시에 섬유질이 풍부한 음식을 더 많이 섭취하는 것도 변비 해결에 도움이 됩니다. 섬유질은 장 운동을 촉진하고 대변의 부피를 증가시켜 배변을 용이하게 합니다.

환자 개개인의 체질과 상태에 따라 특정 음식이나 약물에 민감하게 반응할 수 있으므로, 이를 고려한 개별적인 접근 방식이 필요합니다. 어떤 환자에게는 특정한 운동이나 식이 조절만으로도 충분한 개선 효과를 볼 수 있지만, 다른 환자에게는 추가적인 치료가 필요할 수 있습니다. 따라서 변비에 효과적인 운동을 꾸준히 실천하고, 변비에 좋다고 알려진 음식을 섭취하는 것을 우선시해야 합니다.

그러나 이러한 노력에도 불구하고 변비 증상이 지속된다면, 변비약의 사용을 고려할 수 있습니다. 그럼에도 불구하고, 모든 약물은 잠재적인 부작용과 내성의 위험이 있으므로, 변비약은 의사의 지시에 따라 신중하게 사용해야 하며, 가능한 한 약을 복용하지 않는 방법으로 변비를 관리하는 것을 우선으로 해야 합니다. 이러한 접근 방식은 장기적인 건강 관리에 있어 더욱 지속 가능하고 안전한 방법을 제공할 것입니다.

변비에 좋은 음식

섬유질이 풍부한 고구마, 말린 자두, 사과와 같은 과일류가 잘 알려져 있습니다. 이들은 장내 수분을 유지하고 대변의 부피를 증가시켜 배변 활동을 원활하게 합니다. 또한, 다시마, 미역과 같은 해조류는 불용성 섬유질이 풍부해 장 운동을 촉진시키는 데 도움을 줍니다. 아마씨는 오메가-3 지방산과 섬유질을 함유하고 있어 변비 해소에 효과적입니다.

유산균이 함유된 유제품은 장내 유익한 박테리아의 성장을 도와 소화를 개선하고 변비를 완화하는 데 도움을 줍니다. 블루베리와 같은 베리류도 항산화 물질과 섬유질이 풍부하여 장 건강에 긍정적인 영향을 미칩니다. 우엉과 청국장은 장내 환경을 개선하는 데 유익하며, 양배추, 현미, 팽이버섯 등도 장 건강에 좋은 식품으로 알려져 있습니다.

이러한 식품들은 일반적으로 식사를 통해 섭취할 수 있지만, 특정 상황에서는 주사기나 피딩 백을 통한 투여 또는 믹서로 갈아서 공급하는 방법이 필요할 수 있습니다. 특히 삼킬 수 없거나 정상적인 식사를 할 수 없는 환자에게는 이러한 방식이 유용할 수 있습니다. 이 때 중요한 것은 환자의 상태와 필요에 맞게 적절한 형태로 음식을 제공하여 영양소의 흡수를 최대화하고 변비 완화에 도움을 주는 것입니다.

4.3. 변비의 종류

변비는 원인에 따라 기능성 변비와 기질성 변비 이완성 변비가 있는데 추가로 직장형 변비와 경련성 변비가 있습니다.

기능성 변비
장의 정상적인 운동 패턴이 방해받거나, 대변을 밀어내는 데 필요한 근육 활동이 약화되어 생깁니다. 환자는 배변 횟수 감소, 대변의 경도 증가, 배변 시 과도한 힘주기, 불완전한 배변감 등의 증상을 경험할 수 있습니다. 기능성 변비의 관리는 충분한 수분 섭취, 고섬유질 식단, 규칙적인 운동 등 생활 습관의 개선과 함께, 필요한 경우 약물 치료를 포함할 수 있습니다. 기능성 변비에 이완성 변비, 직장형 변비, 경련성 변비가 있습니다.

이완성 변비는 대장의 운동 기능이 저하되어 정상적으로 대변을 밀어내지 못하고 장 내에 머무르게 되는 변비 유형입니다. 이로 인해 대변이 과도하게 건조하고 단단해져 배변 시 고통이 수반되거나, 불완전한 배변감을 경험할 수 있습니다. 이완성 변비의 주요 원인으로는 장의 근육이나 신경 기능의 이상, 부적절한 식습관, 수분 섭취 부족, 운동 부족 등이 있습니다.

직장형 변비는 대변이 대장을 통해 정상적으로 이동하여 직장에 도달하지만, 직장에서 항문으로의 배출이 제대로 이루어지지 않아 직장 내에 머무르게 되는 변비 유형입니다. 이 상태에서는 배변 시도가 어렵거나, 대변이 매우 단단해져 통증을 동반할 수 있습니다. 직장형 변비의 원인으로는 항문 괄약근의 기능 장애, 신경계 문제, 심리적 스트레스, 잘못된 배변 습관 등이 있을 수 있습니다.

경련성 변비는 대장의 과도한 긴장과 경련으로 인해 대변의 정상적인 이동이 방해받는 상태입니다. 이로 인해 대변이 대장 내에서 제대로 이동하지 못하고, 배변이 어렵거나 통증을 동반할 수 있습니다. 경련성 변비는 스트레스, 심리적 긴장, 특정 음식에 대한 반응 또는 잘못된 식습관 등 다양한 원인에 의해 발생할 수 있습니다.

기질성 변비

특정 질병이나 상태에 의해 직접적으로 발생하는 변비를 의미합니다. 이는 대장암, 당뇨병, 갑상선 기능 저하증과 같은 내분비 장애, 파킨슨병, 다발성 경화증과 같은 신경계 질환, 그리고 장 폐쇄나 장 협착과 같은 소화계통의 구조적 문제에 의해 발생할 수 있습니다. 이러한 질병들은 장 운동성을 방해하거나, 대변의 정상적인 형성과 배출 과정에 영향을 미쳐 변비를 유발합니다.

4.4. 변비약의 종류

변비약은 그 작용 메커니즘에 따라 주로 네 가지 종류로 분류됩니다. 팽창성 하제는 섬유질이 주성분으로, 물과 결합하여 대변의 부피를 증가시켜 장을 자극하고 자연스러운 배변을 촉진합니다. 삼투성 하제는 장내에 물을 유지하도록 도와 대변을 부드럽게 하며, 자극성 하제는 직접적으로 장벽을 자극하여 운동성을 증가시킵니다. 대변 연화제는 대변에 물과 지방을 추가하여 부드럽게 만들어 배변을 용이하게 합니다.

가. 기능성 변비의 치료는 섬유소 식이요법 하루 20~25g 섭취, 야채 하루 300g 섭취, 생과일 섭취 하루 12개(탄닌이 함유된 감, 바나나, 석류, 포도 등은 제외), 잡곡 섭취, 충분한 수분 섭취, 운동 등으로 이완성 변비는 장의 운동을 촉진시키는 약물로 치료하는데 장기 복용 시에는 대장 근육에 신경 손상을 줄 수 있으니 단기

간 치료에 유의해야 합니다. 운동과 식이요법(식물성 섬유소가 풍부한 음식)을 병행하면 효과를 볼 수 있습니다.

피할 음식으로는 탄수화물, 기름진 음식, 붉은 육류, 동물성 가공식품, 튀긴 음식, 카페인이 포함된 음식, 인스턴트 음식, 탄닌이 많이 함유된 덜 익은 과일, 술 등입니다.

나. 기질성 변비는 당뇨병, 대장암 등 특정 질병에 의해 발생하는 변비 유형으로, 해당 질병의 직접적인 영향으로 인해 장의 기능이 저하되거나 장 운동성이 방해받게 됩니다. 따라서 기질성 변비의 치료는 근본적인 원인 질환의 관리와 치료에 초점을 맞춰야 합니다. 예를 들어, 당뇨병으로 인한 변비의 경우, 혈당 조절을 통한 당뇨병의 효과적인 관리가 필수적이며, 대장암으로 인한 변비는 암의 치료를 통해 개선될 수 있습니다. 이 외에도 갑상선 기능 저하증, 신경계 질환 등 다른 기질적 원인이 있는 경우에도 해당 질환의 적절한 치료가 필요합니다. 기질성 변비 치료를 위해서는 정확한 진단과 함께 전문가와의 상담을 통해 개인별 맞춤형 치료 계획을 수립하는 것이 중요하며, 필요에 따라 약물 치료, 수술, 생활 습관의 조정 등이 포함될 수 있습니다.

다. 이완성 변비의 치료는 운동력이 저하된 장의 운동을 활성화하는 것을 목표로 합니다. 이를 위해 장 운동을 촉진하는 약물을 사용할 수 있지만, 규칙적인 신체 활동과 섬유질이 풍부한 음식을 섭취하는 식이요법의 조합이 중요합니다. 규칙적인 산책, 수영, 요가 등의 운동은 장 운동성을 자극하여 변비 증상을 완화하는 데 도움을 줄 수 있습니다. 또한, 과일, 채소, 통곡물 등 섬유질이 풍부한 음식을 섭취하면 대변의 부피를 증가시키고 장을 통과하는 시간을 단축시켜 변비 개선에 기여할 수 있습니다.

장 운동을 촉진하는 약물은 효과적인 단기간 해결책이 될 수 있으나, 장기간 사용은 권장되지 않습니다. 이는 대장 근육의 의존성을 유발하거나, 정상적인 배변을 위한 반사 신경을 손상시켜 변비를 악화시킬 수 있기 때문입니다. 따라서, 약물 사용은 의료 전문가의 지시에 따라 절제하며, 필요한 경우에만 사용하는 것이 중요합니다. 변비 치료에 있어서는 생활 습관의 개선이 기본이 되어야 하며, 약물 치료는 보조적인 수단으로 활용하는 것이 바람직합니다.

라. 직장형 변비는 대변이 정상적으로 직장까지 이동하지만, 항문 괄약근의 부적절한 작동으로 인해 외부로 배출되지 못하는 상태를 말합니다. 이 경우, 괄약근이 제대로 이완되지 않거나 배변 시 더욱 긴장되어 변의 원활한 배출을 방해합니다. 이러한 현상은 잘못된 배변 습관, 특히 변의를 지속적으로 억제함으로써 발생하는 감각 상실에 기인할 수 있습니다.

치료 방법으로는 물리치료의 일종인 바이오 피드백 요법이 사용됩니다. 이 방법은 환자가 자신의 괄약근 활동을 인지하고 조절하는 방법을 배울 수 있도록 도와줍니다. 또한, 심한 경우에는 항문 괄약근의 이완을 돕기 위해 수술적 절개가 고려될 수 있습니다.

마. 경련성 변비는 대장의 비정상적인 경련으로 인해 발생하는 변비 유형으로, 스트레스나 감정적 긴장이 주요 원인 중 하나입니다. 이로 인해 장운동이 비정상적으로 활성화되거나 장의 일부 구간에서 과도한 경련이 발생해 대변의 정상적인 통과가 방해받게 됩니다. 이 상태에서는 배변 욕구가 있음에도 불구하고, 가스만 차고 대변이 제대로 배출되지 않는 현상을 경험할 수 있습니다.

경련성 변비의 치료와 관리에 있어 스트레스 관리는 매우 중요합니다. 명상, 깊은 호흡, 요가, 규칙적인 운동 등 스트레스를 완화할 수 있는 활동이 도움이 될 수 있습니다. 식습관의 조정도 필수적인데, 알코올, 카페인이 함유된 음료, 인스턴트 및 가공식품 등 장을 자극할 수 있는 음식은 피하고, 소화가 잘 되며 자극이 적은 음식을 섭취하는 것이 좋습니다. 섬유질이 풍부한 식단은 장 내용물의 부피를 증가시켜 대변을 부드럽게 하고 장 운동을 정상화하는 데 도움이 될 수 있습니다.

4.5. 변비약 투약 방법 & 팁

장기 요양 환자 대부분이 기능성 변비로 항상 와상 상태로 생활하므로 운동도 할 수 없고, 그렇다고 변비에 좋은 음식도 충분히 섭취할 수 없는 상태이므로 변비가 필연적으로 발생하게 됩니다. 이러한 요인으로 매일 배변을 할 수 없는데, 와상 상태 시작 초기에는 음식물 섭취량이 많고 나름대로 거동도 가능하여 매일 배변이 가능할 수 있는데, 점차 시일이 지나감에 따라 체력이 떨어지고 배변이 어려워집니다. 따라서 소화력도 떨어지고 섭취량이 감소하면서 배변량도 감소하게 되면서 장 운동도 퇴행되면서 변비가 악화되어 갑니다. 이러한 요인으로 대변이 장에 머무는 시간이 증가하면서 변에 수분이 대장에서 흡수되어 변이 딱딱하게 굳게 되어 배변이 어렵게 됩니다.

이에 대한 해소 방안으로 여러 가지 변비약 중 딱딱한 변을 연하게 죽같이 하여 배출이 용이하게 하는 락툴로오즈 계열 약물을 사용하게 됩니다. 이 약은 투약하면서 충분한 수분을 함께 투여하면 효과가 빠르게 나타나게 됩니다.

약만을 투여했을 경우에는 효과가 하루 정도 경과되어 배변이 되는 경우가 있는데, 수분을 투여하는 양에 따라서 배변이 되는 시간이 다른데, 약과 함께 150에서 200CC 정도의 물과 함께 복용을 하면 빠르면 2시간 정도에 배변이 됩니다. 와상 환자에게 단시간 내에 많은 양의 물을 투여하게 되면 역류하거나 토하게 되므로 매우 위험한 상황에 놓이게 되므로, 약 투여 직전 물 50CC를 투여하고 약물 투여 바로 다음 물 50CC를 투여한 후 15분 이상 경과 후 50CC를 추가로, 15분 이상 경과 후 50CC를 시차를 두고 환자가 감당할 수 있는 양을 찾아 투여하면 과량의 물을 한꺼번에 투여했을 때의 부작용을 사전에 방지할 수 있습니다.

수회 투여해 봐서 약 한 봉이 15미리인데, 15미리를 투여해 봐서 배변이 잘 이루어질 때에는 15미리를 투여하여 배변을 시키고, 어떤 경우에는 배변이 되지 않을 경우가 있습니다. 이러한 경우에는 45미리까지 증량을 할 수 있으니 30미리(2개)를 투여해 보고 추가 증량 여부를 판단해 보면 됩니다.

약 투여 시에 물을 너무 과량 투여했을 경우와 약을 과량 투여하면 변이 너무 묽게 되어 설사 수준의 배변이 되므로 장에 무리가 갈 수 있어 적당량을 투여해야 합니다.

4.6. 변비 치료법(마사지법, 관장 등)

경련성 변비의 치료는 대장 운동을 촉진시키는 약물을 사용하면 심각한 부작용이 생길 수 있습니다. 약국에서 파는 변비약들은 대부분 이완성 변비 치료약이므로 주의해야 하며, 스트레스 이완성 변비의 치료는 규칙적인 아침 산책 등 운동과 식이요법이 도움이 됩니다. 직장형 변비의 치료는 이완형 변비나 경련성 변비와는 치료 방법이 다릅니다. 괄약근의 과도한 수축으로 과 긴장되는 문제를 해결해야 하며, 항문을 여는 연습, 항문을 이완시키는 훈련을 해야 합니다.

와상 환자는 대부분 기능성 변비로 운동을 할 수 없고 장의 움직임이 약하므로 아랫배 부분을 손으로 시계 방향으로 마사지해 주면 배변에 좋은 효과를 볼 수 있으며, 등 뒤 갈비뼈 아래 공간을 손으로 두드려 주면 배변에 도움을 줄 수 있습니다.

변비약을 투여하여 3~4시간이 경과되었으나 배변이 되지 않는 경우가 있는데, 이 경우에는 복부 아래 부분을 시계 방향으로 돌리면서 마사지를 10분 정도 하면 배변이 되는 경우가 있고, 그래도 나오지 않을 경우 항문 주위를 돌리면서 마사지하면 대부분 배변이 됩니다. 더욱 원활하게 하기 위해서는 몸을 옆으로 누운 상태에서 양다리를 복부 쪽으로 오므리면 배변이 더 편하게 될 수 있습니다. 배변 시에는 바로 누운 자세보다 옆으로 누운 자세로 다리를 굽힌 상태에서 다리 사이를 벌려주면 배변이 원활하게 잘 됩니다.

좌우로 체위를 바꿔가며 배 마사지와 등 두드리기, 추가로 옆으로 누운 상태에서 양다리를 배 부위까지 구부린 상태에서 손바닥을 펴서 항문 부분을 두드리면 직장에 자극을 주어 배변이 원활하게 되기도 합니다.

물리적인 행위는 이 정도 하면 거의 배변이 됩니다. 그래도 배변이 되지 않을 경우에는 약을 추가로 투여하면 대부분 해소됩니다.

그래도 배변이 되지 않는다면 관장이라는 방법으로 해야 되는데, 항문을 통하여 약물을 투입하여 배변을 유도하는데, 이는 최후의 수단으로 활용해야 됩니다. 약물을 투여하기 전에 항문에 손가락을 넣어봤을 때 딱딱하게 굳어 있다면, 손가락을 이용하여 끄집어 내야 됩니다. 항문 입구 쪽 부분에 있는 변이 대부분 굳어 있어, 이 부분만 제거해도 변 배출이 잘 될 수 있습니다.

변비의 상태를 너무 오랜 시일동안 방치하면 이러한 상황까지 가게 되오니, 최대 5일 이내로 변을 볼 수 있도록 미리 조처해야 됩니다.

더 방치하게 된다면 장 폐색이 되어 수술이 불가하다면 사망에 이르게 되는 경우가 발생하게 됩니다.

변비약 투여 후 배 마사지 등 물리적 처치를 시행하는 이유는 약물 투여를 최소화하기 위한 방편으로 시행하는 것으로, 약물 의존도를 줄이기 위한 방편으로 행하는 것입니다.

4.7. 변비를 악화시키는 습관, 약물, 음식 종류

변비를 악화시키는 주요 습관 중 하나는 부적절한 약물 사용과 식습관입니다. 특정 의약품, 예를 들어 진통제, 항우울제, 고혈압약 등은 장 운동성을 저하시켜 변비를 유발하거나 악화시킬 수 있습니다. 이와 더불어, 섬유질이 부족한 음식의 과도한 섭취, 가공식품, 고지방 식단 등은 소화 과정을 느리게 하고 대변을 단단하게 만들어 배변을 어렵게 합니다.

운동 부족 역시 장의 운동성 감소와 관련이 있어 변비를 악화시키는 중요한 요인입니다. 규칙적인 신체 활동은 장 운동을 촉진하여 변의 정상적인 이동을 도와줍니다. 수분 섭취 부족도 변비의 주요 원인 중 하나로, 충분한 수분 섭취는 소화관을 통과하는 대변을 부드럽게 만드는 데 필수적입니다.

배변 습관의 변화, 특히 갑자기 변이 나오지 않게 되는 경우, 약물 사용이 주요 원인일 수 있으므로 약물 복용 시 효능, 효과 및 부작용을 잘 이해하고 있어야 합니다. 의약품 복용에 따른 변비가 의심되면 의료 전문가와 상담하여 대체 약물을 고려하거나 변비를 완화할 수 있는 방법을 모색해야 합니다. 건강한 식습관, 규칙적인 운동, 충분한 수분 섭취는 변비 예방 및 관리에 있어 기본적이면서도 중요한 요소입니다.

4.8. 관리 체크리스트

앞서 언급한 변비 관련 내용은 변비의 다양한 유형을 설명한 것으로, 특히 거동이 불편한 환자들에게는 기능성 변비가 흔히 발생합니다. 이는 운동 부족으로 인해 장 내 이동이 제한되기 때문인데, 환자가 스스로 움직일 수 있다면 가벼운 운동을 통해 상당한 개선을 기대할 수 있습니다. 그러나 대부분의 환자가 거동이 불가능한 상태이므로, 침대에 누워 있는 상태에서는 배변이 어려울 수 있습니다. 이 경우, 옆으로 누운 자세가 배변에 도움이 될 수 있으며, 보호자나 간병인이 환자의 복부를 마사지하거나 다리를 움직여 주는 것이 배변을 촉진하는 데 효과적일 수 있습니다.

충분한 수분 공급은 체액 고갈을 예방하고 신진대사를 원활하게 하여 변비를 완화하는 데 중요한 역할을 합니다. 수분 섭취는 대변을 부드럽게 하여 장 내 이동을 용이하게 하고, 따라서 배변을 더 쉽게 만듭니다. 배변이 어려울 때 성공적으로 대변을 배출하게 되면, 이는 당사자 뿐만 아니라 보호자에게도 큰 안도감과 기쁨을 가져다 줍니다. 보호자는 환자의 배변 상태를 면밀히 관찰하며, 필요한 경우 변비약 사용, 식단 조정, 충분한 수분 섭취 등을 통해 환자의 배변을 돕고 전반적인 삶의 질을 향상시키는 데 주력해야 합니다.

체크리스트

배변

□ **가벼운 운동 유도**
  ➜ 환자가 스스로 움직일 수 있다면, 기능성 변비를 개선

□ **배변 자세 지원**
  ➜ 환자의 거동이 제한된 상황에서 배변을 돕기 위해

□ **복부 마사지 및 다리 움직임 유도**
  ➜ 보호자나 간병인이 환자의 배변을 돕기 위해

□ **충분한 수분 공급**
  ➜ 수분 섭취를 통해 체액 고갈을 예방하고 변비를 완화

□ **수분 섭취 관찰 및 유도**
  ➜ 보호자는 환자의 수분 섭취를 면밀히 관찰하고, 필요한 경
     우 수분을 섭취

□ **배변 관찰 및 조치**
  ➜ 필요한 경우 변비약 사용이나 식단 조정

5. 귀 관리

5.1. 귀 관리의 중요성

귀는 외이부터 내이에 이르기까지 복잡한 구조를 가지고 있으며, 이 구조들이 서로 연결되어 있어 하나의 부위에 문제가 생기면 다른 부위에도 영향을 줄 수 있습니다. 예를 들어, 외이의 감염이 중이나 내이로 확산되면 청력 손실, 균형 장애, 심한 경우 뇌에 영향을 미칠 수도 있습니다. 따라서, 귀 내부를 정기적으로 검사하여 외이염, 중이염 등의 이상 징후를 조기에 발견하고 치료하는 것이 중요합니다.

5.2. 귀에서 발생하는 대표적인 증상 및 해결방법

귀속에 염증은 상기도 감염(감기), 목이나 코의 염증이 이관을 따라 귀로 번지거나 물이 들어가 염증을 일으켜 중이염으로 발전하게 되는데, 심하면 체온이 올라가고 고막이 터져 귀 밖으로 노란 고름이나 피고름이 흐르며 두통, 청력 저하, 귀 먹먹함, 귀울림 등의 증상이 발생하며, 염증이 머릿속으로 퍼지기도 합니다.

중이염은 외이(바깥귀), 중이(중간귀), 내이(속귀) 중 중간귀에 발생하는 염증을 말하는데, 발생할 경우 귀와 머리에 통증이 심하여 환자에게 고통을 안겨주게 됩니다. 의사 처방을 받아 신속하게 치료해야 합니다. 통상 중이염 증상은 5~10일 정도 항생제와 진통제를 투여하게 되면 비교적 치료가 잘 되는데, 호전되지 않는다면 항생제를 바꾸어 다시 투여하게 되면 효과적으로 치료가 됩니다. 완치 후에도 계속 관찰해야 하는데 삼출성 중이염으로 연속되어 염증이 진행되는 경우가 있으니 고막과 중이염 소견이 안정될 때까지 지속적으로 관찰해야 합니다. 진통제는 타이레놀이나 이부프로펜과 같은 약이 통증을 완화하는 데 효과가 좋으니 참고하시기 바랍니다.

5.3. 귀 관리 방법

귀지를 제거할 때는 조심해야 합니다. 귀속을 긁거나 무리하게 귀지를 제거하려고 하면 귀 내부에 상처가 나거나 감염을 초래할 수 있습니다. 이는 고막 손상이나 추가적인 감염으로 이어질 수 있으므로, 귀지 제거는 부드럽게 하고 필요하다면 전문가의 도움을 받는 것이 바람직합니다.

목욕시 귀에 물이 들어가지 않도록 주의해야 합니다. 물이 귀 안으로 들어가 중이에 갇히면 세균 감염의 위험이 있으며, 이는 중이염으로 발전할 수 있습니다. 물이 들어간 경우에는 머리를 기울여 자연스럽게 물이 빠지도록 하고, 상처가 난 경우에는 즉시 적절한 상처 치료를 실시해야 합니다.

5.4. 귀 상태를 악화시키는 습관, 약물, 음식 종류

5.4.1. 악화시키는 습관

코 세게 풀기

코를 세게 풀 때 발생하는 고압력은 코와 귀를 연결하는 이관을 통해 귀 내부로 전달될 수 있습니다. 이러한 압력 변화는 고막이나 중이의 작은 뼈들, 예를 들어 망치뼈에 손상을 입힐 수 있습니다.

코를 풀 때는 각 콧구멍을 번갈아 가며 부드럽게 풀어야 합니다. 한 쪽 콧구멍을 가볍게 막고, 다른 쪽으로 공기를 부드럽게 내보내는 방식으로 풀면, 귀와 이관에 대한 압력 변화를 최소화할 수 있습니다. 이는 고막이나 중이에 불필요한 압력을 가하지 않으면서 코를 효과적으로 청소할 수 있는 안전한 방법입니다.

귀 후비기

습관적으로 귀를 후비는 행위는 귀 내부의 섬세한 구조에 해를 끼칠 수 있습니다. 귀지는 자연스러운 보호 메커니즘의 일부로, 귀 안쪽의 피부를 보호하고, 먼지, 이물질, 바이러스 및 박테리아와 같은 외부 요소로부터 귀를 방어하는 역할을 합니다. 귀지는 귀의 자정 기능에 의해 점차 외이도를 통해 밖으로 이동하며, 대부분의 경우 자연스럽게 제거됩니다.

귀를 후비거나 면봉과 같은 도구를 사용하여 귀지를 제거하려고 하면, 귀지를 귀의 더 안쪽으로 밀어 넣을 수 있으며, 이는 귀막

힘을 유발하거나 고막을 손상시킬 수 있습니다. 또한, 이러한 행위는 귀 내부의 세균 감염을 유발하여 외이염이나 중이염과 같은 염증을 일으킬 위험을 증가시킬 수 있습니다.

이어폰의 과도한 사용

이어폰의 과도한 사용은 귀 건강에 여러 가지 부정적인 영향을 미칠 수 있습니다. 장시간 동안 큰 소리로 음악을 듣는 것은 청력 손상의 주요 원인 중 하나로, 이는 시간이 지남에 따라 소음성 난청을 유발할 수 있습니다. 또한, 이어폰을 귀 안에 꽂고 사용하는 행위는 귀의 자연스러운 공기 순환을 방해하며, 이는 외이도의 습기와 온도를 증가시켜 세균 번식에 적합한 환경을 조성할 수 있습니다. 이러한 조건은 외이도염과 같은 감염을 촉진할 수 있으며, 가려움증, 통증, 분비물과 같은 증상을 동반할 수 있습니다.

목욕 후 귀 건조시키지 않음

목욕 후 귀 내부에 남아 있는 물기는 귀 건강에 해로울 수 있습니다. 물이 귀 안에 머물러 있으면 습한 환경이 조성되어 세균과 바이러스가 번식하기 쉬워지며, 이는 외이도염과 같은 귀의 염증을 유발할 수 있습니다. 특히, 물이 중이에 침투하면 중이염으로 이어질 위험이 있으므로, 목욕 후 귀를 건조시키는 것은 중요합니다.

목욕 후에는 부드러운 수건이나 천으로 귀 바깥을 가볍게 닦아내고 물기를 제거합니다. 귀 내부까지 건조시키려면 헤어드라이어의 차가운 바람을 사용하여 멀리서 약하게 귀 주변을 말려주는 방법도 있습니다. 단, 헤어드라이어를 사용할 때는 너무 가까이 하거나 뜨거운 바람을 사용하지 않도록 주의해야 합니다.

5.4.2. 약물로 인한 문제

많은 약물들 중 이독성 약물은 귀에 장애를 주는 약물로서 항생제, 스트렙토마이신, 토브라마이신, 겐타마이신, 반코마이신, 네오마이신, 시스플라틴, 프로세미드, 아스피린 등이 귀에 장애를 줄 수 있습니다.

약물로 발생하는 기전(발병요인)은 다음과 같습니다.

- 얼마나 오랫동안 해당 약물을 복용하였는지
- 얼마나 많은 양의 약물을 복용하였는지
- 신장기능이 저하되어 신체에서 약물 등을 제거하는 능력이 얼마나 떨어졌는지
- 사람의 유전자 구성이 이독성 약물들의 효능에 더 민감하도록 하는지에 대한 여부
- 약물에 대한 귀 장애 가족력이 있는지
- 하나 이상의 이독성 약물들을 동시에 복용하고 있는지

증상

귀와 관련된 질환 또는 상태는 걷기 어려움 및 균형 감각 저하,

청력 손실, 현기증, 귀울림(이명) 등 다양한 증상을 유발할 수 있습니다. 균형 감각 저하와 걷기 어려움은 내이의 균형 기관이 영향을 받았을 때 발생하며, 일상 활동 시 불편함을 초래할 수 있습니다. 청력 손실은 대화 이해와 소통에 어려움을 주며, 현기증은 몸의 안정성을 해치고 낙상 위험을 증가시킵니다. 귀울림은 귀 안에서 지속적으로 소음이나 울림을 느끼는 현상으로, 집중력 저하와 수면 문제를 일으킬 수 있습니다.

예방

이독성 약물의 부작용을 예방하기 위한 조치로는 약물 사용을 필요한 최소한으로 제한하고, 청력에 미치는 영향을 최소화하는 것이 중요합니다. 이를 위해 혈류 내 약물 수치를 측정하고 지속적으로 모니터링하는 것이 필요합니다. 이는 약물의 안전한 용량을 유지하고, 과다 복용으로 인한 부작용을 방지하기 위함입니다. 또한, 약물 복용 전 청력 측정을 실시하고, 치료 과정 중 청력 변화의 추이를 주기적으로 모니터링함으로써, 청력 손실이 발생하는 즉시 조치를 취할 수 있습니다.

임신부의 경우 이독성 약물을 피하고 가능하다면 다른 약물로 대체하는 치료를 고려해야 합니다. 임신 중 이독성 약물의 사용은 태아에게 부정적인 영향을 미칠 수 있기 때문입니다. 청력 상실이 있는 사람과 고령자도 이독성 약물의 부작용에 더 취약할 수 있으므로, 가능한 경우 다른 약물로 대체하는 것이 바람직합니다.

이러한 예방 조치들은 이독성 약물로 인한 부작용을 최소화하고 환자의 건강과 안전을 보호하는 데 중요한 역할을 합니다. 따라서, 의료 전문가는 약물 처방 시 이러한 요소들을 고려하여 환자의 상태에 가장 적합한 치료 방법을 결정해야 합니다.

치료

귀 독성에 의한 손상은 일단 발생하면 완전히 원상 회복하기 어려운 경우가 많습니다. 그러나 청력이나 균형 감각 상실은 시간이 지남에 따라 일부 자연 회복될 가능성이 있습니다. 이는 몸이 스스로 손상된 부위를 어느 정도 복구하려는 자연적인 회복 과정 덕분입니다. 비록 완전한 회복이 어려울 수 있지만, 보청기, 균형 재활 훈련, 이명 관리 전략과 같은 보조적인 치료 방법을 통해 증상을 관리하고 환자의 삶의 질을 개선할 수 있습니다.

귀 보호대

욕창 방지를 위하여 체위를 변경할 때 옆으로 많은 시간을 누워 있게 됩니다. 그럴경우에 귓바퀴가 눌리어 짓무르는 경우가 많이 있습니다. 이러한 상태를 예방하기 위하여 귀베게나 귀를 보호할 수 있는 용품을 준비하여 귓바퀴가 짓무르지 않도록 해야 합니다.

5.5. 관리 체크리스트

와상 환자이며 언어 소통이 어려운 경우, 환자의 신체 상태를 면밀히 관찰하는 것이 중요합니다. 통증이나 불편함을 직접적으로 표현할 수 없기 때문에, 보호자나 간병인은 환자의 신체적 변화나 이상 징후를 주의깊게 살펴야 합니다. 특히, 욕창은 환자가 장시간 같은 자세로 누워 있을 때 발생하기 쉬운데, 이는 피부와 그 아래 조직에 지속적인 압력이 가해져 발생합니다. 욕창이 자주 발생하는 부위는 꼬리뼈, 뒷꿈, 발뒤꿈치 등이며, 이러한 부위는 정기적으로 검사하여 발적, 부기, 열감 등 욕창 초기 징후를 조기에 발견할 수 있도록 해야 합니다.

또한, 귀 내부 상태도 중요한 관리 포인트입니다. 귀 내부의 이상을 확인하기 위해 손전등을 사용하여 귀를 정기적으로 검사해야 하며, 이는 외이도염이나 귀 내 이물질 존재 등을 조기에 발견할 수 있게 합니다.

목욕 시에는 물이 귀 안으로 들어가는 것을 방지하기 위해 귀마개를 사용하는 것이 좋으며, 목욕 후 귀마개를 제거할 때는 귀마개 안에 남아 있는 물이 귀 안으로 들어가지 않도록 주의해야 합니다. 귀마개를 제거할 때는 물이 흐를 수 있는 방향으로 기울여 조심스럽게 제거하는 것이 바람직합니다.

누구나 쉽게 배우는 집에서 혼자 환자 돌보기 매뉴얼

체크리스트
귀

- ☐ **신체적 변화 관찰**
  - → 보호자나 간병인은 환자의 신체적 변화를 주의 깊게 관찰 하여 이상 징후를 조기에 발견하기 위해

- ☐ **욕창 부위 검사**
  - → 장시간 같은 자세로 누워 있을 때 발생하기 쉬운 욕창을 조기에 발견하기 위해

- ☐ **귀 내부 검사**
  - → 외이도염이나 이물질 존재 등 귀 내부의 이상을 조기에 발 견하기 위해

- ☐ **목욕 시 귀 관리**
  - → 목욕 시 물이 귀 안으로 들어가는 것을 방지하기 위해 귀 마개를 사용하고, 제거할 때는 물이 귀 안으로 들어가지 않도록 주의

- ☐ **귀마개 제거 방법 확인**
  - → 귀마개를 조심스럽게 제거하여 물이 귀 안으로 흐르지 않 도록

6. 목욕 관리

6.1. 목욕 관리의 중요성

목욕 관리는 환자 케어의 핵심 요소 중 하나로, 환자의 청결을 유지하는 것을 넘어 여러 가지 긍정적인 효과를 제공합니다.

첫째, 정기적인 목욕은 피부를 깨끗하게 하여 감염 위험을 감소시키며, 피부를 통한 노폐물 제거를 돕습니다. 이는 신진대사를 촉진하고 피부 건강을 유지하는 데 중요합니다.

둘째, 목욕은 환자에게 심리적 안정감을 제공하며 스트레스를 완화하는 효과가 있습니다. 따뜻한 물은 근육을 이완시키고 통증을 줄여주며, 목욕 과정 자체가 마음의 평안을 가져다줍니다.

셋째, 목욕 시 환자의 신체를 꼼꼼히 살펴볼 수 있어 이상 유무를 조기에 발견할 수 있습니다. 욕창, 발진, 부기 등의 초기 징후를 확인할 수 있으며, 이는 적시에 적절한 대응을 가능하게 합니다.

넷째, 목욕은 혈액 순환을 촉진하며, 이는 전반적인 건강 상태 개선과 식욕 증진에 도움을 줍니다. 또한, 새로운 환경과 자극은 기분 전환에 긍정적인 영향을 미칩니다. 마지막으로, 목욕 과정에서의 신체적 접촉은 환자와 간병인 사이의 유대감을 강화하며, 신뢰와 친밀감을 형성하는 데 기여합니다.

6.2. 환자를 목욕시키는 방법 & 주의사항

목욕 전

환자를 목욕시키기 전에는 몇 가지 중요한 준비 단계와 주의사항을 고려해야 합니다. 우선, 환자의 현재 컨디션을 체크하는 것이 중요합니다. 체온, 혈압, 맥박 등의 기본적인 건강 지표를 확인하여 환자가 목욕을 할 수 있는 상태인지 판단해야 합니다. 정상 범위에서 벗어난 경우 목욕은 안전을 위해 연기하는 것이 바람직합니다.

피부에 생긴 상처나 피부 문제가 있는 경우, 방수 필름이나 적절한 드레싱으로 보호하여 목욕 중 감염 위험을 최소화해야 합니다. 또한, 목욕실 내 온도를 적절히 조절하여 환자가 추위를 느끼지 않도록 해야 하며, 이는 저체온증 발생을 예방하는 데 중요합니다.

손과 발톱 정리는 목욕 전에 진행하는 것이 좋으며, 이는 피부 손상을 방지하고 위생을 유지하는 데 도움이 됩니다. 목욕 중 또는 후에 호흡기 문제나 기타 응급 상황이 발생할 수 있으므로 석션기를 준비하는 것도 중요합니다.

목욕

목욕 시에는 환자가 안전하고 편안하게 목욕할 수 있도록 여러 조치를 취해야 합니다. 머리부터 시작하여 목욕 의자에 누운 상태에서 환자의 눈, 귀, 코, 입에 물이 들어가지 않도록 주의를 기울여야 합니다. 귀에는 귀마개를 사용하여 물이 들어가는 것을 방지하고, 나머지 부위는 물이 직접적으로 닿지 않도록 조심스럽게 다뤄야 합니다.

많은 환자가 피부가 건조하거나 여린 상태일 수 있으므로, 때수건으로 강하게 문지르는 것보다는 바디샴푸를 사용하여 부드럽게 전신을 마사지하듯이 씻어주는 것이 좋습니다. 이 방법은 피부를 자극하지 않으면서도 청결을 유지할 수 있게 해줍니다. 씻은 후에는 물기를 두 번 정도 헹궈내어 잔여물이 남지 않도록 하는 것이 중요합니다.

6.3. 목욕 시 주의사항

- 바닥이 미끄러질 우려가 있으니 각별히 주의하고 만약에 호흡기(코나 입)에 물이 들어갈 것에 대비하여 옆에 셕션기를 준비하여 놓고 즉시 처치할 수 있도록 해야 합니다. 즉시 처치가 되지 않으면 호흡곤란으로 위험한 상황에 놓이게 됩니다.
- 목욕은 최대한 빠른 시간 내에 해야 합니다.
- 목욕을 마친 후 바로 물기를 닦아내어 체온이 떨어지는 것을 방지해야 합니다.
- 드라이기로 머리부터 겨드랑이, 다리 사이, 손발가락 사이 등 건조를 시켜야 합니다. 그래야 짓무르지 않습니다.
- 상처 부위는 방수 필름 등으로 보호 조치해 두셔야 합니다.
- 고령에 와상 환자 대부분 입을 벌리고 입으로 호흡을 하기 때

문에 구강으로 비눗물과 물이 들어가지 않도록 특별히 유의
하시길 바랍니다.

6.4. 목욕 관리 시 추천하는 제품

물 목욕시
- 와상환자도 사용가능한 누울 수 있는 목욕의자
- 침상 위에서 사용할 수 있는 침상목욕매트

물 목욕을 할 때는 와상 환자도 편안하게 누울 수 있는 목욕 의
자가 유용합니다. 이러한 의자는 안전 벨트나 지지대가 있어 환자
를 안정적으로 지지하며, 물이 잘 빠지도록 디자인된 구조로 되어
있어 위생적입니다. 또한, 침상에서 목욕을 할 수 있게 해주는 침
상 목욕 매트는 물과 비누를 사용하여 전신을 깨끗하게 할 수 있
게 해주며, 사용 후 쉽게 배수하고 건조할 수 있는 재질로 만들어
져 있습니다.

물 없이 할 경우
- No Rinse (Body Bath)
- No Rinse (Shampoo)

물을 사용하지 않고도 피부와 머리카락을 깨끗하게 할 수 있게
해주며, 특히 이동이 어렵거나 물을 사용할 수 없는 환경에 있는
와상 환자에게 적합합니다. 이 제품들은 사용이 간편하고 피부 자

극이 적어 건강한 피부 관리에 도움을 줄 수 있습니다.

6.5. 목욕을 할 수 없는 상황일 때 환자의 몸을 씻는 방법

와상 상태에 있는 환자의 경우, 물 목욕이 어려울 수 있으므로 물 없이 사용할 수 있는 세정제를 활용한 몸 씻기 방법이 효과적입니다. 이러한 물 없는 세정제는 피부에 직접 뿌리거나 부드러운 천에 묻혀 사용할 수 있으며, 이를 통해 피부의 노폐물을 제거할 수 있습니다. 씻기는 과정에서는 씻고자 하는 부위만 드러내고 나머지 부위는 따뜻한 담요나 수건으로 덮어주어 체온이 떨어지지 않도록 주의해야 합니다. 이 방법은 환자의 체온을 유지하며 동시에 감염 위험을 최소화합니다.

세정제를 사용한 후에는 부드러운 수건으로 살짝 닦아내어 세정제 잔여물을 제거하고, 피부를 건조시킵니다. 특히 피부가 접히는 부위나 민감한 부위는 세심한 주의를 기울여 닦아내야 합니다.

6.6. 관리 체크리스트

1. 목욕 온도 – 겨울은 36~40도 여름은 28~32도 전후
2. 목욕 시간 – 일주일에 2회로 1회 목욕 시간은 15분 이내
3. 목욕 준비물 – 침상에서 하는 경우, 방수포, 때수건, 세정재, 세수대야, 페트병 등
4. 안전용품 준비 – 미끄럼방지 물품 및 석션 장비

누구나 쉽게 배우는 집에서 혼자 환자 돌보기 매뉴얼

적절한 관리 체크리스트를 마련하는 것은 환자 목욕 관리의 안전과 효율성을 보장하는 데 중요합니다. 목욕 온도는 계절에 따라 조정되어야 합니다. 겨울에는 보다 따뜻한 36도에서 40도 사이가 적절하며, 여름에는 시원하게 28도에서 32도 사이가 적당합니다. 이는 환자의 체온 조절 능력을 고려한 것으로, 저체온이나 과열을 방지합니다.

목욕 시간은 환자의 피부 상태와 체력을 고려하여 일주일에 2회 정도, 각각 15분 이내로 유지하는 것이 좋습니다. 이는 피부의 과도한 노출을 방지하고, 체력 소모를 줄이는 데 도움이 됩니다.

침상에서 목욕을 하는 경우 필요한 준비물로는 방수포, 때수건, 세정제, 세수대야, 페트병 등이 있습니다. 이러한 준비물은 목욕 과정에서 환자와 침상을 보호하고, 효율적인 세정을 가능하게 합니다.

안전용품 준비 역시 중요한데, 미끄럼 방지 물품은 환자가 목욕 중 미끄러지는 것을 방지하며, 석션 장비는 목욕 중 또는 후에 발생할 수 있는 비상 상황에 대비하여 호흡기 관리를 용이하게 합니다.

7. 구강 관리

7.1. 구강 관리의 중요성

모든 세균이나 바이러스 등은 구강과 호흡기를 통해 감염됩니다. 특히 와상 상태로 있는 환자는 거동 및 양치가 거의 불가한 상태이므로 항상 입안 청결을 유지해야 합니다. 와상 상태에 있다는 것은 거의 의사 표시나 거동을 하지 못하기 때문에 구강도 마찬가지로 입을 벌려서 이상이 없는지 확인하고 아침저녁으로 가글 성분이나 소금물 등을 이용하여 거즈에 묻혀 집게손가락에 감아서 입안을 닦아내어 청결을 유지해야 합니다.

입안을 닦아내는 도구를 이용하여 닦는 경우가 있는데, 도구를 사용하면 구강을 세밀하게 닦아낼 수 없고 상처를 유발할 수 있어 효과적이지 못하므로 손을 이용하여 처치해야 입안에 상처나 딱지가 붙어 있는지도 확인이 가능하여 입안 케어를 안전하고 깨끗하게 할 수 있습니다. 대부분 입을 벌리고 호흡하기 때문에 침이 말라 입천정에 침딱지가 붙어 있습니다. 이 침딱지를 그대로 바로 제거하면 입안 점막에 강하게 달라붙어 있어 입안에 상처가 발생하게 됩니다. 상처 없이 떼어 내기 위해서는 거즈를 물에 적셔 딱지 위에 도포를 하거나 대고 있으면 물기가 흡수되어 딱지 제거를 할 수 있습니다. 가글 성분은 치과에서 사용하는 효과 좋은 제품을 사용하는 것이 좋습니다. 주기적으로 입안을 살펴서 흡인으로 인한 상처 등은 입안에 사용하는 연고 등으로 치료를 해야 합니다.

7.2. 구강에서 발생하는 대표적인 증상 및 해결방법

7.2.1. 구강 건조증상

기력이 떨어지면 대부분의 환자들은 입을 벌리고 호흡을 하게 됩니다. 몸에 열이 나거나 실내 온도가 높거나 습도가 낮을 경우에는 입안과 목, 기도까지 말라서 호흡하기가 곤란하게 됩니다. 기도에서 쉰 소리가 나면서 말라붙은 침까지 가세하여 호흡은 더욱 힘들어집니다. 체온과 실내 온도가 높거나 습도가 낮아 건조해서 이런 상황이 발생합니다. 이러한 경우에는 즉시 물을 투여하도록 하고, 창문을 열어 환기시키고 신선한 공기를 접하게 하고 가글액이나 1% 소금물을 희석하여 소독된 거즈에 적셔 입안을 마사지하듯 닦아주면 해소가 되는데 (가글액이나 소금물을 준비할 수 없을 경우에는 음용수를 거즈에 적셔 사용하면 됨) 이와 병행하여 실내 습도를 높이고 식사하는 튜브를 통하여 수분 공급을 하여 해소해야 합니다.

유의할 사항은 구강이 마른다 하여 구강을 통하여 물을 공급하면 기도로 흡인되어 위험에 처할 수 있으니 절대금물입니다.

시간이 흐를수록 몸에 근육과 살이 빠져 몸속에 수분을 저장할 곳이 없어 체내에서 필요한 수분을 지속적으로 공급해줄 수 없기 때문에 수시로 발생하게 됩니다. (지속적으로 수분을 공급해야 되는 이유는 호흡에 따른 수분 배출, 피부를 통한 배출, 대사작용, 대소변 등으로 물은 체내외에서 계속 소비되고 있습니다.)

이에 나트륨 용액을 혈관 주사(링거)로 투여하게 되는데 모든 주사제나 약을 복용할 때도 주의해야 할 것은 부작용을 확인해야 합니다. 나트륨 제재도 환자의 몸에서 받아들일 수 있는 양이 있어 그 이상 투여하면 쇼크 등 위험한 상황에 놓일 수가 있습니다. 계속적으로 링거로도 해결할 수 없는 문제여서 항상 주의가 필요합니다. 생리식염수 등 주사제를 투여할 때 팔다리 등이 붓는 경우도 있습니다. 이럴 때에는 링거액 점적(투여)량을 줄여 투입량을 조절해보고 그래도 붓기가 빠지지 않는다면 링거 주사를 중단하여 더 이상 부종이 확대되지 않도록 해야 합니다. 병원이라면 계속 투여하면서 이뇨제를 투여할 수도 있겠지만 집에서 할 경우는 링거를 중단하는 게 좋습니다.

7.2.2. 입안에 상처

입안 상처는 면역력 저하나 체력이 떨어진 상태에서 더 자주 발생할 수 있으며, 입안의 점막이 약해져 있을 때 양치질이나 석션 시에도 쉽게 손상될 수 있습니다. 특히, 도구를 사용할 때 과도한 힘이나 잘못된 방법으로 인해 입안 점막에 상처가 나기 쉬우며, 이러한 상처는 감염으로 이어져 입안에서의 염증을 유발할 수 있습니다.

이러한 상황에서는 상처와 염증을 치료하기 위해 스프레이 형태나 연고 형태의 염증 치료제를 사용하는 것이 도움이 될 수 있습니다. 이러한 제품들은 입안의 상처 부위에 직접 도포하여 항염 및 상처 치유 과정을 촉진합니다. 사용 전에는 해당 제품이 구강 내 사용이 가능한지, 환자가 특정 성분에 대한 알레르기 반응이 없는지 확인하는 것이 중요합니다.

7.3. 관리 방법 및 주의사항

구강 양치 시에는 도구를 사용하는 것보다 집게손가락에 가글 용액에 적신 거즈를 감아서 구석구석 세밀하게 닦아내야 합니다. 나무 막대에 거즈를 감아서 하다 보면 입안에 상처가 나기 쉽고 입안 점막에 이상 유무를 감지하지 못합니다. 손가락에 거즈를 감아 닦아내다 보면 주로 입천장에 이물질이 붙어 있는 경우가 많습니다. 이 이물질은 침이 말라붙어 딱지가 되어 있습니다. 이것을 그냥 떼어내면 안 됩니다. 거즈에 가글액이나 물을 적셔 잠시 동안 딱지 부분에 대어 습기를 머금게 한 후 핀셋이나 거즈를 감은 손가락으로 떼어내면 되는데, 이것을 말라붙은 상태로 떼어 내면 점막에 상처가 생겨 치료를 해야 합니다. 특히 유념해야 합니다.

7.4. 관리 시 추천 제품

구강 관리를 위해 추천하는 제품에는 가글 제품, 소형 칫솔, 스프레이 형태의 상처 치료제 또는 연고, 손전등 등이 포함됩니다. 가글 제품은 입안을 청결하게 유지하고 입냄새를 제거하는 데 도움을 줍니다. 소형 칫솔은 구강 내 좁고 섬세한 부위를 부드럽게 닦아낼 수 있어 와상 환자나 구강 내 민감한 부위가 있는 사람에게 적합합니다. 스프레이 형태의 상처 치료제나 연고는 입안의 상처나 염증을 효과적으로 치료하는 데 사용될 수 있으며, 손전등은 입안을 비추어 상처나 이상 유무를 확인하는 데 유용합니다.

7.5. 관리 체크리스트

적어도 아침과 저녁에 구강 청결을 위해 양치질을 실시하며, 이 과정에서 구강 내 점막의 이상 유무를 면밀히 살펴보아야 합니다. 석션 사용으로 인해 구강 내 점막이 손상되어 상처가 발생할 수 있으므로, 주기적으로 구강 내를 검사하여 상처가 있는 경우 즉시 스프레이 형태의 상처 치료제나 연고를 사용하여 치료를 실시해야 합니다. 또한, 정기적인 구강 검사를 통해 점막에 딱지나 이물질이 있는지 확인하고, 필요한 경우 적절한 조치를 취하여 제거하거나 치료해야 합니다. 치료가 지연될 경우 상처가 악화되거나 이물질이 기도를 막아 환자의 건강을 위협할 수 있으므로, 사전 예방과 적극적인 관리가 필요합니다.

양치에 사용하는 거즈는 멸균 거즈를 사용하는 것보다는 일반 거즈를 구입하여 2장씩 컵에 넣고 끓는 물을 컵에 따라 소독한 후 물에 헹구어 가글 용액을 적시어 사용하면 좋습니다.

적신 거즈를 구강 속에 넣을 때 구강 속은 따뜻한데 갑자기 차가운 거즈를 집어넣으면 환자가 거부감이 들어 입을 잘 벌려 주려 하지 않고 비협조적이 됩니다.

거즈 감은 손가락을 구강 속에 넣기 전에 물을 데우는 포트를 가열하여 뚜껑을 연 후 거즈 감은 손가락을 포트 입구에 대고 수증기를 이용하여 거즈를 따뜻하게 데워 구강 속에 넣으면 환자는 이물감이 덜하여 협조적이고 편하게 양치가 가능합니다.

누구나 쉽게 배우는 집에서 혼자 환자 돌보기 매뉴얼

체크리스트
구강

☐ **양치질 실시**
   → 아침과 저녁에 양치질을 실시하여 치아와 구강 내 점막의
      이상을 살펴보기

☐ **구강 내 상처 및 이상 검사**
   → 석션 사용으로 인해 구강 내 점막이 손상될 수 있음

☐ **정기적인 구강 검사**
   → 구강 내에 딱지나 이물질이 있는지 확인하기 위해

☐ **양치용품 소독**
   → 양치에 사용하는 거즈를 소독하여 구강 내 감염을 예방하
      고, 거즈의 적절한 관리를 통해 환자의 건강을 유지

8. 소화기관 관리

8.1. 소화기 관리의 중요성

신체의 건강은 음식물을 섭취하여 소화기관을 통해 에너지원을 얻어 생명을 유지합니다. 생명 유지를 위해서는 섭취한 음식이 소화가 잘되어 대사 작용이 원활하게 진행되어야 합니다. 그러기 위해서는 소화기관에 이상이 없도록 관리를 잘해야 합니다.

소화계는 소화 작용을 담당하는 기관계인데, 소화라는 것은 체내에 받아들인 외부의 물질을 분해·흡수하여 생체 내에서 이용하는 작용을 말합니다. 흡수된 소재는 그 생물에게 고유한 물질로 합성되거나 더욱 분해를 진행시켜 에너지가 배출되도록 하는데, 이 과정을 대사라고 합니다.

8.2. 소화기에서 발생하는 대표적인 증상

와상 환자는 항상 누워 생활하게 되므로, 중력의 도움을 받아 음식물이 소화기관을 통과하는 데 제약을 받게 됩니다. 이로 인해 역류성 식도염의 발생 빈도가 높아질 수 있으며, 이는 위산이 식도로 역류하여 식도 점막에 손상을 주어 발생합니다. 환자의 활동성과 움직임이 제한되므로 소화기관의 운동성도 저하되어 음식물의 소화 및 이동이 원활하지 않게 되고, 이는 소화 불량이나 위장관 장애를 유발하게 됩니다.

또한, 활동 부족은 위장의 운동을 둔화시켜 음식물이 오랜 시간 위에 머물게 하고, 이는 위산 분비를 촉진하여 위 점막의 자극을 가중시킬 수 있습니다. 이러한 과정은 위염과 같은 위장 질환을 유발할 수 있습니다.

8.3. 소화기 관리법 & 주의사항

의사 표현이 불가한 환자는 평소에 관찰을 잘 해서 소화가 되지 않을 때에는 어떤 증상이 발생하는지, 위염이나 위궤양 등일 경우 소화기 계통에 통증이 있는지를 구분하여 적절한 약을 투여해야 합니다.

소화불량일 경우에는 구토 증세나 복부에서 소리가 난다든지 할 경우에는 소화 불량으로 소화제를 복용시켜야 하고, 침을 평소보다 많이 흘린다든지 얼굴이 일그러져 힘이 없고 메스꺼워 할 경우 등에는 위장약을 복용해야 하는데 소화 불량일 경우에는 확연하게 구분이 되어 소화제를 투여할 수 있는데 위장에 염증이나 궤양이 있을 경우에는 명확한 구분이 되지 않아 치료를 지연시켜 환자에게 고통을 주는 상황이 됩니다. 이러한 경우에는 소화불량 징후를 제외하고 다른 불편 요소를 제거했는데도 불구하고 힘이 없고 불편한 표정이면 속쓰림 증세이므로 위장약(제산제 및 위장 보호제)를 복용시켜 드리면 표정이 편안해 보일 것입니다. 이런 상황을 여러 번 경험하다 보면 속이 쓰린지 소화가 안 되는지를 구분할 수 있게 됩니다.

혹시라도 전혀 구분을 할 수 없다면 정기적으로 (3일에 한 번 또는 일주일에 한 번 정도) 주기적으로 위장약을 복용시켜 위장을 보호하고 통증으로부터 환자를 보호할 수 있습니다.

매일 위장약을 투여하면 이런 고민을 하지 않아도 되지만 모든 약은 부작용을 내포하고 있기 때문에 특히 위장약, 제산제, 위 보호제는 변비를 유발하기 때문에 반드시 필요할 때 복용하고 되도록 장기 투여를 하지 않는 게 좋습니다. 변비를 유발하지 않는 약도 있으나 이 약은 또 다른 부작용이 있기 때문입니다.

8.4. 관리 체크리스트

8.4.1. 자세변환

인체는 직립하여 활동하도록 설계되어 있어, 장기간 누워 있는 생활이 지속될 경우 여러 건강 문제가 발생할 수 있습니다. 특히, 와상 환자의 경우, 혈액 순환 장애, 근육 위축, 욕창 발생 등의 위험이 높아질 수 있습니다. 이러한 문제를 방지하기 위해 자세 변환은 필수적인 관리 방법 중 하나입니다.

자세 변환은 환자의 체위를 정기적으로 바꿔주어 압력이 한 곳에 지속적으로 가해지는 것을 방지하고, 혈액 순환을 촉진합니다. 이는 욕창 발생을 줄이고, 근육 및 관절의 기능을 유지하는 데 도움이 됩니다. 또한, 가능한 경우 휠체어 등을 활용하여 환자가 앉아 있는 자세를 취하게 하여, 몸의 부담을 줄이고 다양한 자세를 경험할 수 있도록 하는 것이 좋습니다. 이는 정신적인 활력을 제공하고, 환자의 일상생활 능력을 향상시킬 수 있습니다.

8.4.2. 소화여부 확인

식사나 간식을 공급할 때 소화 여부를 확인하는 것은 중요한 과정입니다. 특히, 연하 곤란이 있거나 위장 기능이 저하된 환자의 경우, 섭취한 음식이 제대로 소화되지 않아 위에 머무를 가능성이 있습니다. 이러한 상황에서 추가적인 음식을 섭취하게 되면 구토, 복부 팽만감, 심지어는 호흡기 합병증을 유발할 수 있습니다.

주사기를 사용하여 위 내용물을 흡입해보는 방법은 위 내에 남아있는 음식물의 양을 간접적으로 파악할 수 있는 방법입니다. 흡입 시 위 내용물이 나오지 않는다면, 이전에 섭취한 음식이 소화되어 위가 비어있는 상태일 가능성이 높으며, 이 경우 추가적인 음식 섭취가 안전할 수 있습니다. 반면, 흡입 시 음식물이 빨려 나온다면, 이는 아직 위가 비어있지 않고 소화가 진행 중임을 의미합니다. 이때는 소화가 충분히 이루어질 때까지 기다린 후에 다음 식사나 간식을 제공해야 합니다.

8.4.3. 평소에 편안한 자세에서 석션 후 다른 케어 진행

편안한 자세에서 석션 후 다른 케어를 진행합니다. 편안한 자세란 장시간 한 자세로 유지하여도 기도 막힘이나 불편함을 느끼지 않고 오랫동안 자세를 유지할 수 있는 자세를 말합니다.

다른 케어를 하기 위해 오랫동안 유지할 수 있는 자세에서 석션을 한 후 다른 자세로 변환을 해야 침이나 가래 등이 기도로 유입되는 것을 방지할 수 있습니다.

예를 들어 음식물이나 물, 간식 등을 투여할 경우와 기저귀 교환 등을 할 경우에 석션을 한 후 해야 합니다.

이유는 자세 변환이나 다른 케어를 하다보면 위 내용물이나 입안에 고여 있는 침 등이 기도로 유입될 위험이 있기 때문입니다. 이러한 위험요소를 사전에 제거하기 위하여 흡인 후에 하는 것입니다.

연세가 들어갈수록 신체는 노쇠해져서 각종 장기의 기능이 떨어지므로 이에 따른 질병이 발생하게 되는데, 위장의 상부 괄약근이 항상 열려 있는 관계로 역류성 식도염 및 상체를 아래로 하거나 수평으로 하면 위산 및 음식물이 기도로 흘러들어 식도염 및 기관지염, 폐렴 등을 유발하게 되므로 항상 상체는 높게 유지하여 폐렴이 발생하지 않도록 주의해야 합니다. 이것은 생명 유지에 아주 중요한 부분이기도 하며 관리를 유념하여 잘해야 합니다.

환자의 몸을 체위 변경 및 기저귀 교환, 목욕 등 케어 관련 동작으로 인해 환자의 상체를 수평으로 할 수밖에 없는 상황이 있는데, 이럴 때에는 환자의 음식물 또는 물 등의 소화 상태를 반드시 확인하여 상체를 수평으로 내려서 케어를 진행해야 합니다.

음식물은 2시간 정도, 물은 적어도 30분 정도의 시간이 경과된 후에 진행하면 위장에 있는 음식물 또는 물, 위산 등이 역류하여 기도 및 폐로의 유입을 방지할 수 있습니다. 만약 역류를 하였다면 즉시 석션기로 흡입하여 위험을 막을 수 있습니다. 이에 대한 요령은 체위 변경이나 기저귀 교환 등 몸을 움직여야 하는 케어 행위를 식사나 물을 투여하기 전 공복 시에 시행하면 편리합니다.

이러한 위험에 대처하기 위해서는 반드시 흡입기를 즉시 사용 가능하도록 준비해놓고 케어를 해야 합니다.

8.5. 건강한 소화기를 위해 지켜야 할 10가지 수칙

아래 참고 내용은 건강한 사람을 대상으로 한 내용이긴 하나 참고하면 좋을 듯합니다.

스트레스와 불규칙한 생활습관, 짠 음식을 즐겨 먹는 식습관, 과식, 잦은 술자리, 그리고 흡연 등으로 인해 가장 힘겨운 장기는 바로 소화기관일 것입니다. 고통받는 소화기를 편안하게 하려면 다음과 같은 습관이 필요합니다.

1. 규칙적인 식사하고 야식을 피하라

불규칙한 식사나 아침 식사를 거르는 습관은 소화 불량증을 악화시키는 원인입니다. 야식을 즐겨 먹는 습관도 마찬가지입니다. 다른 장기와 마찬가지로 위도 밤에 활동이 둔해지므로 야식을 먹고 잔 다음날 아침은 위가 묵직한 느낌이 들 수 있으며, 음식 섭취 후 바로 누우면 위에 있어야 할 위액이 식도로 역류해 역류성 식도염이 생길 수 있습니다. 부득이 밤에 식사를 해야 할 때에는 소화가 잘 되는 음식을 조금만 먹고, 식사하고 2시간이 지난 후 잠자리에 들도록 합니다. 한편, 평소 식사를 할 때에는 과식하지 않고 규칙적으로 먹는 것이 좋으며, 만일 소화 불량 증상이 심하다면 적은 양을 자주 먹는 것이 좋습니다.

2. 위암 유발하는 짠 음식의 섭취를 줄여라

한국 음식 문화에서는 찌개, 국, 김치, 젓갈 등의 발효 음식이 일상적으로 많이 섭취되는데, 이러한 음식들은 대체로 염도가 높습니다. 소금은 위 점막을 자극하고 장기간 높은 염분 섭취는 위 점막의 손상을 일으키며, 이는 결국 위 세포의 변형과 위암 발병 위험을 증가시킬 수 있습니다.

또한, 지방이 많고 소화가 어려운 음식, 온도가 너무 높거나 낮은 음식, 매운 음식 및 강한 향신료가 포함된 음식은 위에 부담을 주고 소화 불량을 유발할 수 있습니다. 이러한 음식들은 위 점막을 자극하여 염증을 일으키거나 소화기 질환의 증상을 악화시킬 수 있으므로 가능한 피하는 것이 좋습니다.

3. 채소와 과일을 많이 섭취하고 신선한 음식을 먹어라

여러 연구 결과들에 의하면 채소와 과일을 소량이라도 꾸준히 섭취하면 그렇지 않은 경우보다 위암 등의 발생률이 낮은 것으로 알려져 있습니다. 채소와 과일에 포함된 엽산, 카로티노이드, 토코페롤 등의 항산화 효과 때문으로 추정됩니다. 미국에서는 1991년부터 하루 채소와 과일을 다섯 차례 이상 섭취함으로써 암은 물론 각종 성인병을 예방하자는 'Five-A-Day for Better Health'라는 캠페인을 꾸준히 벌이고 있습니다. 신선한 음식을 섭취하는 것도 중요합니다. 2차 대전 이전에는 전 세계적으로 위암이 가장 흔했으나, 냉장고가 각 가정으로 보급된 후 위암의 발생률이 급격히 줄었다는 사실은 신선하지 않은 음식 섭취가 얼마나 위험한지 단적으로 보여줍니다.

4. 음식은 물이나 국에 말아먹지 말고 천천히 꼭꼭 씹어 먹어라

음식물의 소화 과정은 침 속에 포함된 소화 효소인 프티알린에 의해 시작됩니다. 이 효소는 탄수화물을 분해하는 역할을 하며, 음식을 충분히 씹을 때 이 효소와의 접촉 시간이 늘어나 소화가 더 잘 이루어집니다. 따라서 음식을 잘 씹어 먹는 것은 위의 부담을 줄이고 소화 과정을 원활하게 만들어줍니다.

음식을 물이나 국물에 말아 넘기는 습관은 음식물이 제대로 씹히지 않게 하여, 위에서 음식을 분쇄하고 소화하는 과정에 더 많은 에너지와 위산이 필요하게 만듭니다. 이는 위 점막에 부담을 주고 위산 분비를 증가시켜, 장기적으로 위염이나 위궤양 같은 소화기 질환의 위험을 높일 수 있습니다. 따라서 소화기 건강을 위해서는 음식을 천천히, 꼼꼼히 씹어 먹는 습관을 들이는 것이 중요합니다.

5. 커피, 탄산음료, 음주, 흡연을 피하라

커피, 탄산음료, 음주, 흡연은 모두 소화기 건강에 부정적인 영향을 미칠 수 있습니다. 커피에 함유된 카페인은 일시적으로 위장의 움직임을 촉진할 수 있지만, 장기적으로는 위산 분비를 증가시켜 위 점막에 자극을 주고 소화기 문제를 유발할 수 있습니다. 이는 카페인이 없는 커피나 탄산음료에서도 마찬가지입니다. 탄산음료는 가스가 위장에 축적되어 복부 팽만감이나 속쓰림을 유발할 수 있습니다.

과도한 음주는 위 점막을 직접적으로 손상시키고, 알코올이 위산 분비를 증가시켜 위염이나 위궤양과 같은 소화기 질환의 위험을 높일 수 있습니다. 또한, 흡연은 위장의 자연적인 보호 기능을 약화시키고, 위산 분비를 촉진하여 소화기 건강에 악영향을 미칩니다.

6. 약물은 신중히 복용할 것

약물 복용 시 신중한 접근이 필요합니다. 특히 아스피린과 같은 진통제는 위 점막을 손상시킬 수 있으며, 장기간 사용 시 위궤양과 같은 소화기 질환을 유발할 위험이 있습니다. 따라서 자가 진단으로 약물을 무분별하게 복용하는 것은 위험하며, 의사나 약사와 상의하여 적정 용량과 적합한 약물을 선택하는 것이 중요합니다. 의학적 조언을 구하면 부작용의 위험을 최소화하고, 필요한 치료 효과를 얻을 수 있습니다.

7. 스트레스 관리는 필수

스트레스 관리는 필수입니다. 스트레스는 신경성 위염, 즉 기능성 소화불량증의 직접적인 원인이 됩니다. 음식물을 소화하는 데 가장 중요한 기능을 담당하는 위는 자율신경의 영향을 받습니다.

자율신경은 본인의 의지대로 제어할 수 없는 신경으로 감정이나 정서의 영향을 많이 받습니다. 즉, 불안이나 우울, 스트레스, 긴장과 같은 자극은 자율 신경계를 자극해 위의 운동을 방해하는 역할을 합니다. 스트레스는 과민성 대장증후군이나 위궤양 등의 원인이 되기도 하므로, 조금만 신경을 쓰더라도 위장에 탈이 나는 사람들은 스트레스 관리에 더욱 신경 써야 합니다.

8. 바른 자세를 유지해야

바르지 못한 자세는 척추의 정렬을 방해하여 척추 변형을 초래할 수 있습니다. 이러한 변형은 척추를 통과하는 신경들에 압박을 가하여 신경 기능에 영향을 미치게 됩니다. 척추를 통과하는 신경들은 우리 몸 전체, 특히 내장 기관들의 기능을 조절하는 데 중요한 역할을 합니다. 따라서 바르지 못한 자세는 소화기관을 포함한 여러 내장 기관들의 기능에 부정적인 영향을 미칠 수 있습니다. 예를 들어, 소화 과정에 필요한 자율 신경계의 조절 능력이 저하될 수 있으며, 이는 소화 불량, 복통 등 다양한 소화기 문제로 이어질 수 있습니다.

9. 적당한 운동을 하되, 식후 바로 운동하지 말 것

적당한 운동은 소화기관의 활동을 촉진하고, 전반적인 신체 건강을 개선하는 데 중요한 역할을 합니다. 운동은 혈액 순환을 촉진하고, 소화기계의 운동성을 향상시켜 음식물의 효율적인 소화와 흡수를 돕습니다. 그러나 식사 직후에 바로 운동을 하게 되면 식사로 인해 위장이 가득 차 있을 때 신체 활동으로 인해 소화 과정에 방해를 받을 수 있습니다. 식사 후 바로 이루어지는 격렬한 운동은 위 내용물이 식도로 역류하거나 복부 불편감을 유발할 수 있으므로, 식사 후 최소 30분에서 1시간 정도의 시간을 두고 운동을 시작하는 것이 바람직합니다.

10. 자가진단에 의한 약복용은 병을 키울 수 있어

복통은 그 증상이 흔한 만큼 그냥 지나치기도 쉽고, 자가진단에 의해서 스스로 약을 복용하는 경우도 많습니다. 하지만 복통을 가볍게 보다가 큰 병을 키울 수 있습니다. 한국인의 암 발병률 1위인 위암의 경우가 대표적입니다. 위암의 경우 그 증상은 상복부 불쾌감, 팽만감, 소화불량, 식욕부진, 체중감소 등으로, 그 증상이 다른 일반적인 위장 질환과 크게 다르지 않습니다. 위염이라고 생각해 위암을 방치한 경우, 생존율에는 큰 차이가 날 수 있습니다. 0~1기의 경우는 90% 이상이 완치되지만, 4기의 경우 생존률은 10~15% 정도로 줄어듭니다. 섣부른 자가진단을 삼가고 정기적으로 검사를 받도록 합니다.

(안녕일 박사 자료 참고)

누구나 쉽게 배우는 집에서 혼자 환자 돌보기 매뉴얼

체크리스트
소화기관

☐ **자세 변환**
  → 음식물 투여 후 자세변환은 역류등 위험을 초래하므로, 음식물 투여 전에 안정적인 자세로 변환

☐ **소화 여부 확인**
  → 연하 곤란이나 위장 기능이 저하된 환자의 경우 음식물이 소화되지 않아 위에 머무를 가능성

☐ **편안한 자세에서 케어 진행 후 변환**
  → 환자가 편안한 자세에서 케어를 받은 후, 다른 자세로 변환하여 침이나 가래 등이 기도로 유입되는 것을 방지

9. 체위관리

9.1. 체위관리가 중요한 이유

와상 환자는 24시간 항상 누워 있는 상태로 있는데, 항상 누워서 생활을 하게 되면 인체 장기들의 기능도 떨어져 건강이 더욱 악화되는 악순환이 발생하게 됩니다. 그러므로 하루 중 오전이나 오후 3시간 정도, 힘들면 2시간은 휠체어에서 머물 수 있도록 하는 것이 많은 도움이 됩니다. 항상 움직이지 못하고 누워서 생활하기 때문에 몸 전체가 특히 팔다리가 경직되어 굳어가게 되고 혈액 순환이 되지 않아 신진대사가 잘 되지 않습니다. 또한 활동이 불가하기 때문에 소화도 잘 되지 않습니다. 한 자세로 오래동안 누워 있으면 침구 닿는 부위의 혈액 순환이 되지 않아 욕창이 진행되어 피부가 괴사되어 갑니다.

9.2. 체위관리법 4가지

정자세
바로 누운 자세로 상체를 30도 이상 올리면 슬라이딩 되는 문제로 욕창 발생 우려로 30도 이내로 해야 합니다.

좌측위
좌측으로 기운 자세로 이 역시 30도 이내로 해야 합니다.

우측위

우측으로 기운 자세로 30도 이내로 해야 합니다.

엎드린 자세

이 자세는 가능할 경우에 할 수 있습니다.

위 4가지 자세 중 엎드린 자세를 제외하고 3가지 자세 중 한 자세씩 2시간 이내에 순차로 번갈아 가면서 자세를 변환해주면 됩니다.

어느 부위에 욕창이나 상처가 발생하였다면 해당 부위가 압력을 받지 않도록 해당 부위는 피하여 체위를 변경해야 하나, 만약에 욕창이나 상처 부위가 있는 부위로 체위 변경을 피할 수 없다면 반드시 도넛 쿠션 등을 사용하여 상처에 압력이 가해지지 않도록 보호해야 하며, 상처 부위에 도넛 쿠션을 사용하였다면 인접 부위에도 도넛 쿠션에 상응하는 높이의 보조 도구(방석이나, 쿠션 베개, 도넛 쿠션) 등을 사용하여 몸이 침구 바닥에 편평하게 닿을 수 있도록 평면을 유지하도록 하여 몸에 불편함이 없도록 해야 합니다.

체위를 변경할 때 손이나 다리를 하나씩 잡고 체위를 변경하면 절대 안 됩니다. 와상 상태에 있는 환자 대부분 고령으로 골다공증이 심한 상태이어서 골절에 위험이 크므로 체위를 변경할 때는 반드시 팔은 몸에 붙여서 몸과 함께 밀거나 당기거나 굴리거나 해야 되며, 다리는 반드시 두 다리를 붙인 상태로 골반과 대퇴부를 함께 감싸서 밀거나 당기기를 해야 합니다. 고령인 상태에 와상 환자는 대부분 야위어 무릎 사이에 얇은 쿠션을 넣어 뼈끼리 부딪치는 일이 없도록 보호 조치를 해야 합니다.

좌우로 체위를 변경할 때에 몸통을 손으로 지지하고 이동할 경우가 있는데, 이러한 경우 손이나 팔꿈치로 환자의 갈비뼈 부위에 힘을 가하면 절대 안 됩니다. 이 부위의 뼈 중에 갈비뼈가 가장 약하여 쉽게 부러집니다. 고령에 골다공증이 심하기 때문입니다.

골다공증이 중증일 경우에는 체위변경 시 몸을 잡고 좌우로 몸을 기울지말고 침대 위에 깔아놓은 천을 잡고 케어를 하는 것이 안전합니다.

9.3. 체위 관리에 꼭 필요한 마사지

욕창 예방과 경직 방지를 위해 환자의 관절을 수시로 펴고 주무르는 것은 중요합니다. 이는 혈액 순환을 촉진하고, 장기간 한 자세로 인해 발생할 수 있는 근육 및 조직의 압박을 완화하는 데 도움이 됩니다. 특히, 굳어있는 팔과 다리를 갑자기 움직이려 하면 인대 손상이나 파열과 같은 부상을 초래할 수 있으므로, 매우 조심스럽게 점진적으로 관절을 움직여야 합니다. 이 과정에서 부드러운 마사지는 근육의 긴장을 풀어주고, 통증을 완화시켜 환자에게 안락감을 제공합니다.

환자의 편안함을 최우선으로 하는 케어에서는 체위 변환의 중요성도 강조됩니다. 케어 제공자가 직접 다양한 자세를 시도하고,

필요한 경우 쿠션, 베개 등의 보조 도구를 활용하여 환자에게 가장 적합한 자세를 찾는 것이 중요합니다.

9.4. 용품 추천

9.4.1. 욕창 방지매트

일반형(물결형), 막대형(봉), 개별 포켓형

- 일반형: 가장 많이 사용하는 일반형으로 사용하기 편리하고 단순 구조입니다.

- 막대형(봉): 욕창 방지 효과는 좋으나 사용자가 불편합니다.

- 개별 포켓형: 최근에 나온 형태의 베드로, 일반형과 막대형을 보완한 제품으로 사용자는 편하나 욕창 방지 효과는 의문입니다.

욕창 방지 매트의 선택은 환자의 편안함과 욕창 방지 효과의 균형을 고려하여 이루어져야 합니다. 일반형 매트는 그 사용의 간편함과 저렴한 비용으로 인해 많이 사용되지만, 특정 환자에게는 충분한 욕창 방지 효과를 제공하지 못할 수도 있습니다. 막대형(봉) 매트는 향상된 욕창 방지 기능을 제공하지만, 그 구조상의 특성으로 인해 일부 환자에게는 장시간 사용 시 불편함을 초래할 수 있습니다. 이에 반해, 개별 포켓형 매트는 사용자의 편안함을 우선시하는 최신 디자인으로, 각 개별 포켓이 환자의 몸을 보다 유연하게 지지하며 압력을 분산시키는 구조를 가지고 있습니다. 그러나 이 형태의 매트는 욕창 방지 효과에 대한 충분한 데이터는 아직은 부족한 상태입니다. 따라서 케어 제공자는 환자의 개별적인 필요와 상태를 면밀히 평가하여 가장 적합한 매트를 선택해야 합니다.

참고로 저는 막대형 위에 일반형을 올려놓고 2개를 포개어 사용 중에 있습니다.

9.4.2. 체위변경 보조용품

체위 변경 보조용품으로는 꼬리뼈 눌림 방지 쿠션, 욕창 방지 체위 변환 쿠션, 자세 변환용구(체위 변경 보조 쿠션), 도넛 방석 쿠션, 발목 쿠션 발꿈치 욕창 방지, 욕창 방지 방석이 있습니다. 체위 변경 보조용품은 와상 환자의 욕창을 예방하고 편안함을 유지하기 위해 중요합니다. 꼬리뼈 눌림 방지 쿠션은 압력이 꼬리뼈에 집중되는 것을 방지하여 욕창 발생 위험을 줄입니다. 욕창 방지 체위 변환 쿠션과 자세 변환용구(체위 변경 보조 쿠션)는 환자의 자세를 안정적으로 지지하고 정기적인 체위 변경을 용이하게 해줍니다, 압력 분산을 통해 욕창 위험을 최소화합니다. 도넛 방석 쿠션은 특히 압력이 가해지기 쉬운 부위를 보호하며, 발목 쿠션과 발꿈치 욕창 방지용품은 하체의 압력을 분산시켜 욕창 발생을 방지합니다. 욕창 방지 방석은 앉아 있는 자세에서도 욕창 발생 위험을 줄이는 데 도움을 줍니다.

9.5. 관리 체크리스트

가. 식사 시에는 예외로 하고, 바로 눕기와 좌우로 눕기를 2시간 간격으로 번갈아 가며 자세 변환을 하는데, 좌우로 변환할 때 30도 이내로 하는 것은 그 이상으로 할 경우에는 침상에 닿는 부분에 압력이 분산되지 않고 집중되어 혈액 순환에 악영향을 주기 때문입니다. 바로 누운 자세에서는 30도 이상 상체를 올릴 경우 꼬리뼈 부분에 하중이 집중되면서 슬라이딩되어 마찰도 생겨 욕창 발생을 촉진하는 문제가 발생하므로, 30도 이내로 하는 것이 요령입니다. 이러한 내용을 숙지하고 체위 변경을 하고 있는지 확인해야 합니다.

나. 욕창이 많이 발생하는 부위 특히 뼈 돌출부위 도구를 이용하여 눌리지 않도록 하고 있는지 체크해야 합니다.

욕창 예방을 위해 이러한 부위를 보호하고, 도구를 이용하여 압력을 분산시키는 것이 중요합니다. 예를 들어, 압력 분산 매트리스나 쿠션, 특수 베개 등을 활용할 수 있습니다. 이런 도구들은 뼈 돌출 부위에 가해지는 압력을 줄이며, 피부와 매트리스 사이의 공기 순환을 돕습니다.

또한, 환자의 자세를 정기적으로 바꾸는 것도 중요합니다. 이는 압력이 지속적으로 가해지는 것을 방지하고, 피부에 산소와 영양소 공급을 돕습니다. 자세 변경은 최소한 2시간마다, 가능하다면 1시간마다 해야 합니다.

다. 환자를 이동시킬 때는 항상 주의가 필요합니다. 환자를 옮길 때는 끌지말고 들어서 옮기는 것이 중요합니다.

환자를 들어서 옮길 때는 가능하면 두 명 이상의 사람이 함께 작업해야 하며, 환자의 체중을 고르게 분산시켜야 합니다. 이는 환자에게 불필요한 부담을 주지 않도록 보장하고, 안전한 이동을 위한 중요한 점입니다.

또한, 환자의 상태와 필요에 따라 이동 도구를 사용할 수 있습니다. 휠체어나 스트레쳐 등의 도구는 환자의 안정성을 유지하면서도 이동을 돕습니다.

환자를 옮길 때는 항상 환자의 안전을 최우선으로 생각하고, 적절한 방법과 도구를 사용하여 이동해야 합니다.

라. 욕창 방지 매트리스가 잘 동작하고 있는지 점검해야 합니다. 공기 압력이 적절한지, 고장이나 손상 부위가 없는지 등을 확인해야 합니다. 특히, 전동식 매트리스의 경우 전원과 모터 상태, 공기 주입 상태 등을 점검해야 합니다. 중국산 제품일 경우 전원 접속부위가 완벽하게 호환이 되지 않아 접촉불량으로 자주 작동이 멈추는 사태가 발생하게 됩니다. 연결부위를 테이프 등으로 고정하여 전원이 꺼지는 일이 발생하지 않도록 유념해야 합니다.

이러한 점검은 매트리스의 기능을 유지하고, 환자에게 최적의 편안함과 보호를 제공하도록 합니다. 따라서, 매트리스의 정기적인 점검은 환자의 편안함과 욕창 예방에 꼭 필요한 관리 방법입니다.

바. 균형 잡힌 식사를 하고 있는지 체크해야 합니다. 균형 잡힌 식사는 필수적인 영양소를 제공하고, 체력을 유지하며, 병원체에 대한 저항력을 높이는데 중요한 역할을 합니다.

단백질은 이 중에서도 특히 중요한 영양소입니다. 단백질은 우리 몸의 세포를 구성하고, 조직을 수리하며, 면역체계를 강화하는데 필요합니다. 또한, 고단백 식품은 욕창이 발생하는 환자에게 특히 중요합니다. 단백질은 피부와 근육을 회복시키는 데 필요한 주요 성분이기 때문입니다.

아. 대소변 후 청결상태를 유지하는 것이 중요합니다. 요실금이나 변실금이 발생하면, 피부에 오랫동안 오염물질이 머무르게 되어 피부 문제나 감염을 일으킬 수 있습니다. 따라서, 대소변 후에는 즉시 청결한 상태를 유지하도록 해야 합니다. 이는 적절한 세정과 건조, 그리고 필요한 경우 가벼운 스킨 케어 제품의 사용을 포함합니다.

환자의 청결 상태를 유지하기 위해, 침대 시트는 항상 깨끗하게 유지하고, 오염된 경우 즉시 교체해야 합니다. 또한, 요실금이나 변실금이 자주 발생하는 환자의 경우, 특별한 보호 속옷이나 패드를 사용하는 것이 도움이 될 수 있습니다.

자. 환자의 피부 건강을 유지하기 위해서는 항상 건조한 상태를 유지하는 것이 중요합니다. 젖은 침구나 환의는 피부 문제를 일으킬 수 있으며, 특히 욕창이나 감염 등의 위험을 높일 수 있습니다.

따라서, 침구나 환의가 젖었을 경우에는 즉시 교환해야 합니다. 이는 환자의 편안함을 위함이며, 또한 피부 건강을 보호하기 위한 것입니다. 교환 후에는 피부를 부드럽게 닦아 건조한 상태를 유지하는 것이 좋습니다.

차. 반창고 자극 및 외부 자극에 의한 피부 찰과상이나 등 상처 관리를 해야 합니다. 환자의 피부는 다양한 외부 자극에 노출되어 있습니다. 이에는 반창고 자극, 매트리스나 의자에 의한 압력, 옷 감에 의한 마찰 등이 있습니다. 이러한 자극은 피부를 손상시킬 수 있습니다.

따라서, 피부 상태를 주기적으로 확인하고, 필요한 경우 적절한 처치와 관리를 하는 것이 중요합니다. 이는 찰과상이나 상처가 발생했을 때 즉시 발견하고, 적절한 치료를 시작하여 더 심한 문제를 예방하는데 도움이 됩니다.

카. 환의(의복) 갈아 입을 때나 피부치료 시, 목욕 시 등 욕창 발병 여부를 수시로 확인하는 것도 중요합니다. 환자의 안전과 건강을 위해 역류 방지를 위해 상반신을 들어올리는 경우가 많습니다. 그러나 이러한 자세는 환자가 아래로 슬라이딩 되면서 꼬리뼈 부위에 압력이 가해지는 결과를 초래할 수 있습니다. 이는 욕창 발생의 주요 원인 중 하나이며, 특히 꼬리뼈는 욕창 발생이 잦은 부위입니다.

따라서, 엉덩이 아래 부위를 삼각형 보조 매트로 잘 받쳐 아래로 밀리지 않도록 주의를 기울여야 합니다. 이는 환자의 안정성을 유지하고 꼬리뼈 부위의 압력을 줄이는 데 도움이 됩니다.

삼각형 보조매트 사용시 엉덩이 부위에 받치게 되면 허리에 무리가 가게 되므로 반드시 엉덩이와 대퇴부 사이에 사용해야 합니다. 천장을 보고 누어 있을 때 다리, 무릎을 굽혔을 경우 항문 아래 부분에 위치하도록 하여 사용하는 것이 안전합니다. 삼각 보조매트에 엉덩이가 올라타게 되면 허리가 꺾여 환자에게 많은 고통을 주게 되니 이점을 특별히 주의해야 됩니다.

9.6. 욕창예방수칙

1. 욕창 예방 기구 – 욕창 방석, 욕창 매트, 욕창 베개 등을 사용하여 피부에 가해지는 압력을 줄입니다.
2. 침상에서는 최장 2시간마다, 휠체어 등 앉은 자세에서는 15분마다 체위를 변경하도록 합니다.
3. 규칙적인 운동 및 마사지를 실시합니다.
4. 목욕을 하여 청결한 피부 상태를 유지하고, 로션 등을 발라 피부를 건조하고 부드럽게 유지합니다.
5. 잠옷과 이불은 수시로 햇볕에 말려 사용합니다.
6. 대소변이나 분비물로 더러워진 기저귀나 옷은 바로 교체합니다.
7. 환자를 옮길 때에는 환자의 몸이 침구에 끌리지 않도록 들어서 옮깁니다.

8. 무릎이나 발 등의 신체 부위가 서로 붙어 있지 않도록 합니다.

9. 침대보가 주름지지 않도록 잘 편 후 환자를 눕힙니다.

10. 충분한 물을 섭취합니다.

11. 충분한 단백질과 비타민을 섭취합니다.

체크리스트
체위

- ☐ **자세 변환**
  - → 2시간 간격으로 바로 눕기와 좌우로 눕기를 번갈아가며 실시하되, 좌우로 변환할 때는 30도 이내로 하여 압력을 분산

- ☐ **욕창 발생 부위 보호**
  - → 욕창이 많이 발생하는 부위, 특히 뼈 돌출 부위를 보호하기 위해 도구를 사용하여 압력을 분산시키고, 특수 매트리스나 쿠션을 활용

- ☐ **환자 이동 시 주의사항**
  - → 환자 이동 시 끌지 않고 들어서 옮기며, 두 명 이상이 함께 작업하여 체중을 분산시키고, 적절한 이동 도구를 사용하여 안전하게 이동

- ☐ **욕창 방지 매트리스 확인**
  - → 욕창 방지 매트리스의 기능과 상태를 점검하여 고장이나 손상 부분이 없는지 확인하고, 필요한 경우 공기 압력을 조절

- ☐ **균형 잡힌 식사 및 영양 공급**
  - → 필수 영양소를 공급하고, 특히 단백질 섭취를 유도하여 욕창 예방 및 피부 회복

□ **대소변 후 청결 유지**
  → 청결한 상태를 유지하여 피부 오염과 감염을 예방

□ **피부 건강 유지**
  → 환자의 피부를 항상 건조하고 깨끗한 상태로 유지하여 욕창 발생 및 피부 문제 예방에 도움

□ **피부 찰과상 관리**
  → 환자의 피부를 주기적으로 확인하여 찰과상이나 상처를 발견하고 적절한 처치를 하여 더 큰 문제를 예방

□ **역류 방지를 위한 상체 들어올리기**
  → 삼각형 보조 매트를 사용하여 엉덩이 아래 부위를 받쳐 아래로 슬라이딩 되는 것을 방지하고, 허리에 무리가 가지 않도록 유의

10. 호흡기 관리(세브란스 건강정보 참고)

10.1. 폐렴이란

폐렴은 폐 조직에 발생하는 감염으로 인한 염증 질환으로, 세균, 바이러스, 곰팡이 등 다양한 병원체에 의해 발생할 수 있습니다. 건강한 면역 체계를 가진 젊은 사람들은 비교적 가벼운 증상을 겪고 자연 회복될 수 있지만, 면역 체계가 약한 노인, 만성 질환자, 영유아와 같은 고위험군에서는 폐렴이 심각한 합병증을 유발하고 심지어 생명을 위협할 수 있습니다. 증상은 기침, 발열, 호흡곤란 등이 있으며, 심각한 경우 입원 치료가 필요할 수 있습니다. 폐렴은 적절한 예방 조치와 초기 치료를 통해 관리할 수 있으나, 매년 많은 사람들이 폐렴으로 인해 사망하는만큼 각별한 주의가 필요한 질환입니다.

10.2. 폐렴의 원인

폐렴의 원인은 주로 세균이나 바이러스, 곰팡이 감염입니다. 세균성 폐렴이 가장 흔합니다. 폐렴구균이나 인플루엔자균, 마이코플라즈마(미코플라스마)가 폐렴을 잘 일으킵니다. 면역력이 저하된 사람은 진균(곰팡이)성 폐렴에 걸릴 위험도 큽니다.

음식을 삼키는 기능이 떨어져 있는 사람에게는 흡인성 폐렴이 잘 발생하기도 합니다. 입으로 들어온 음식물이나 침이 기도를 통해 폐로 넘어가고, 이때 세균도 함께 폐로 들어가면서 감염이 발생하는데, 폐로 음식물이 들어가면 직접 제거하기가 어렵고, 음식을 삼키는 기능이 떨어져 있으면 언제든지 감염이 반복될 수 있어서 좋아지기가 어렵습니다.

65세 이상의 노인, 6세 미만의 영유아는 특히 폐렴에 주의해야 합니다. 흡연하거나 평소 폐 질환을 앓고 있는 사람도 주의가 필요합니다. 면역력이 낮은 사람, 다른 만성 질환이 있는 사람도 폐렴에 걸렸을 때 쉽게 상태가 악화할 수 있어서 조심해야 합니다. 주로 와상 상태의 환자와 고령자에게 잘 발생하는 질병으로 예방 및 치료를 잘해야 합니다.

10.3. 폐렴의 증상

원인에 따라 조금씩 다르지만, 기침과 함께 노란색이나 녹색의 가래가 나오는 것이 폐렴의 대표적인 증상입니다. 호흡하기가 힘들어지고 숨을 쉴 때 가슴 통증을 느끼기도 합니다. 호흡기 외에도 증상이 생겨서, 38도 이상 고열이 나면서 두통이나 근육통 때문에 활동이 어려워집니다. 어린아이는 열이 나면서 축 처지고, 밥도 잘 먹지 않으려 합니다.

폐렴은 합병증을 주의해야 하는데, 감염이 심해지면 의식이 혼미해지기도 하고, 패혈증이나 호흡곤란으로 생명이 위험하기도 합니다. 폐를 둘러싼 흉막에 상처가 나서 가슴에 공기가 차는 기흉, 폐에 고름 주머니가 생기는 폐농양도 생길 수 있습니다.

10.4. 폐렴의 진단

폐렴 진단 과정에서 환자의 임상 증상을 면밀히 관찰하는 것이 중요합니다. 기침, 발열, 호흡곤란 등의 전형적인 증상 외에도, 청진 시 폐에서 나는 수포음은 폐 내부에 액체나 농이 축적되어 있는 상태를 나타내며 폐렴의 중요한 징후 중 하나입니다. 이후, 흉부 엑스레이 촬영을 통해 폐의 염증 부위와 정도를 직관적으로 확인할 수 있으며, 폐렴의 확진 및 감염 범위를 파악하는 데 큰 도움이 됩니다. 혈액 검사를 통해 환자의 전신적인 염증 반응과 감염 상태를 평가하며, 특히 백혈구 수치와 C-반응성 단백질(CRP) 수치를 확인함으로써 감염의 심각성을 판단할 수 있습니다.

10.5. 폐렴의 치료

폐렴의 원인에 따라 사용하는 약이 달라집니다. 세균성 폐렴이라면 항생제를, 곰팡이가 원인인 진균성 폐렴은 항진균제를 사용합니다. 증상이 가볍다면 집에서 충분히 쉬면서 먹는 항생제를 사용하면 회복할 수 있지만, 증상이 심하거나 다른 건강 문제가 있다면 입원 치료가 필요하고, 치료가 잘 되지 않으면 입원 기간이 길어질 수 있고, 산소 치료나 인공호흡기 치료가 필요할 수도 있습니다.

폐렴의 원인 중 폐렴구균은 백신이 개발되어 있어서 예방할 수 있습니다. 인플루엔자(독감)도 폐렴의 원인이 될 수 있어서, 고위험군은 매년 백신을 접종하는 것이 좋습니다. 담배는 폐 건강에 좋지 않으니 금연해야 합니다.

10.6. 호흡기 질환을 조기에 잡아야 하는 이유

호흡기 질환을 조기에 진단하고 치료하는 것은 매우 중요합니다. 감기, 독감, 기관지염 등 초기에 보이는 호흡기 증상이 가볍게 여겨져 치료가 지연되면, 이러한 질환들이 폐렴으로 발전할 위험이 있습니다. 폐렴으로 진행되면 폐 조직에 영구적인 손상을 입힐 수 있으며, 치료 기간도 길어지고 회복이 어려운 상태에 이를 수 있습니다. 심한 경우에는 호흡 곤란과 같은 심각한 합병증으로 인해 사망에 이를 수도 있습니다. 따라서 호흡기 증상이 나타나면 즉시 의사의 진료를 받고, 적절한 치료를 시작하는 것이 필수적입니다. 조기 진단과 치료는 질병의 악화를 막고, 더 심각한 건강 문제로 이어지는 것을 예방하는 데 도움이 됩니다.

10.7. 폐렴의 종류와 발병 원인, 증상

폐렴은 염증의 범위와 발병 장소에 따라 기관지 폐렴, 간질성 폐렴, 대엽성 폐렴 등으로 나누고, 병원체의 종류에 따라 세균성 폐렴, 바이러스성 폐렴, 진균성 폐렴, 병원 획득 폐렴 등으로 구분합니다.

10.7.1. 세균성 폐렴

세균성 폐렴은 사회활동 중 세균에 의해 감염되는 질환입니다. 주로 감염된 사람이 기침이나 재채기를 할 때 세균이 공기 중으로 퍼져, 주변 사람들이 이를 통해 감염될 수 있습니다. 세균성 폐렴의 원인균으로는 폐렴구균, 인플루엔자균, 마이코플라즈마 등이 있으며, 이들은 호흡기를 통해 몸 안으로 들어와 폐에 염증을 일으키게 됩니다. 특히 면역 체계가 약화된 사람들, 예를 들어 노인, 만성 질환자, 면역억제제를 복용하는 환자 등은 세균성 폐렴에 걸릴 위험이 훨씬 더 높습니다.

증상

- 기침 시 점액이 묻어나옴: 기관지나 폐에서 발생하는 염증으로 인해 점액질 분비물이 생기며, 이는 기침을 할 때 함께 배출됩니다. 점액은 감염을 일으킨 미생물이나 이물질을 몸 밖으로 배출하는 역할을 합니다.

- 38도 이상의 발열: 몸이 바이러스나 박테리아 같은 감염원과 싸우고 있음을 나타내는 일반적인 증상입니다. 발열은 면역 체계가 활성화되어 감염과 싸우고 있다는 신호로, 체온이 상승합니다.

- 빠른 호흡: 호흡곤란이나 폐의 문제로 인해 몸이 충분한 산소를 얻기 위해 더 많은 노력을 기울이게 되며, 이로 인해 호

흡이 빨라집니다. 이는 특히 폐렴이나 기관지염과 같은 호흡기 질환에서 흔히 볼 수 있습니다.

- 호흡 곤란: 숨을 쉬기 어렵거나 불편함을 느끼는 상태로, 폐렴, 천식, 만성폐쇄성폐질환(COPD) 등 여러 호흡기 질환에서 나타날 수 있습니다. 이는 호흡기가 제대로 기능하지 못하고 있음을 나타냅니다.

- 가슴통증: 호흡 시 가슴에 통증이 느껴지며, 이는 폐렴, 폐색전증, 또는 갈비뼈와 관련된 문제 등 다양한 원인으로 발생할 수 있습니다. 깊게 숨을 쉴 때 통증이 심해지기도 합니다.

- 피로: 신체가 감염과 싸우는 과정에서 에너지를 많이 소모하여 일상 활동에 대한 지속적인 피로감을 경험할 수 있습니다. 이는 면역 체계의 반응으로 인한 일반적인 증상 중 하나입니다.

치료

- 항생제: 박테리아 감염에 의한 질병을 치료하는 데 사용됩니다. 항생제는 박테리아의 성장을 억제하거나 죽여 감염을 치료합니다. 바이러스 감염에는 효과가 없으므로, 의료 전문가의 진단 후 적절하게 처방되어야 합니다. 오남용은 항생제 내성을 초래할 수 있어 주의가 필요합니다.

- 산소치료: 호흡 곤란이나 산소 포화도가 낮은 환자에게 적용되며, 산소를 보충하여 혈중 산소 농도를 높이는 치료법입니다. 산소 마스크나 코에 끼우는 캐뉼라를 통해 순수 산소를 공급받게 됩니다. 폐렴, COPD, 심부전 등 다양한 호흡기 및 순환기 질환에서 필요로 합니다

10.7.2. 바이러스성 폐렴

바이러스성 폐렴은 감기, 독감, 코로나바이러스 등의 호흡기 바이러스 감염으로 인해 발생하는 폐의 염증입니다. 이러한 바이러스들은 호흡기를 통해 몸에 들어와 폐 조직에 염증을 일으키며, 이로 인해 폐 기능이 저하됩니다.

증상

- 열: 감염이나 염증이 있을 때 몸이 자연적으로 반응하여 체온이 상승하는 현상입니다. 이는 면역 체계가 활성화되어 병원균과 싸우고 있음을 나타냅니다.

- 오한: 체온이 급격히 상승할 때 몸이 떨리면서 추위를 느끼는 증상입니다. 이는 열이 나기 시작할 때 흔히 나타나며, 체온 조절 메커니즘의 일부입니다.

- 점액이 묻어나오는 마른기침: 감염으로 인해 기관지나 폐에 염증이 생기고 점액이 생성되지만, 충분히 젖은 기침으로 전환되지 않아 마른 기침이 나타나며 때때로 점액이 묻어나옵니다.

- 코막힘: 호흡기 감염으로 인한 염증과 점액 생성 증가로 코 내부가 막히는 현상입니다. 이는 호흡을 어렵게 하고 수면 질을 저하시킬 수 있습니다.

- 근육통: 바이러스 감염 시 면역 반응의 일환으로 나타나는 증상 중 하나로, 몸 전체의 근육에 통증이 발생합니다. 피로감과 함께 몸이 쑤시고 아픈 느낌을 줍니다.

- 두통: 감염에 대한 신체의 반응으로 혈관이 확장되고 염증이 발생하면서 두통이 유발될 수 있습니다. 두통은 경미할 수도 있고, 심한 경우 일상 생활에 지장을 줄 수도 있습니다.

- 전신쇠약: 감염과 싸우는 면역 체계의 활동으로 인해 에너지가 소모되고, 신체가 약해지면서 전반적인 힘 빠짐을 느끼는 상태입니다. 이는 감염 초기에 흔히 나타나는 증상입니다.

치료

- 진통 소염제: 통증과 염증을 줄이는 데 사용되며, 근육통, 관절통, 두통과 같은 다양한 종류의 통증 완화에 효과적입니다. 다만, 장기간 사용 시 위장 문제나 신장 기능 저하와 같은 부작용이 발생할 수 있으므로 주의가 필요합니다.

- 해열제: 체온을 낮추는 데 사용되며, 발열을 경감시켜주어 환자의 안락함을 증진시킵니다. 중추신경계에서 체온을 조절

하는 영역에 작용하여 체온을 정상 범위로 되돌립니다. 해열제 사용 시에는 약물 복용 지침을 준수하고 과다 복용 시 간 손상을 일으킬 수 있으므로 주의해야 합니다.

10.7.3. 진균성 폐렴

진균성 폐렴은 면역 체계가 약화되었을 때 발생하기 쉬운 호흡기 감염입니다. 정상적인 면역 체계를 가진 개인에서는 흔히 발견되는 환경 진균이 건강 문제를 일으키지 않지만, HIV/AIDS 환자, 암 치료를 받는 환자, 장기 이식 환자, 스테로이드나 면역 억제제를 장기간 사용하는 환자 등 면역 체계가 손상된 사람들에게는 이러한 진균이 심각한 감염을 유발할 수 있습니다. 진균성 폐렴을 일으키는 주요 진균으로는 아스퍼질루스, 피츠리움, 크립토코커스 등이 있으며, 이들은 폐 조직에 염증을 일으켜 호흡 곤란, 기침, 발열 등의 증상을 유발합니다.

감염요인

감염 요인에는 다양한 환경과 건강 상태가 포함됩니다. 장기 이식 환자와 암 환자는 치료 과정에서 사용되는 면역 억제제나 화학 요법으로 인해 면역 체계가 약화되어 진균 감염 위험이 증가합니다. 류마티스 관절염과 같은 자가면역 질환 치료제도 면역 반응을 억제하여 감염에 취약하게 만듭니다. HIV 감염은 면역 체계를 직접적으로 손상시켜 진균성 폐렴을 포함한 다양한 감염증에 대한 저항력을 크게 약화시킵니다.

특정 직업군에서는 직업적 노출로 인해 진균 감염 위험이 높아집니다.

- 새, 박쥐, 설치류 및 그들의 배설물 주변에서 일하는 농부들은 히스토플라스마, 크립토코커스 등 다양한 진균에 노출될 위험이 높습니다. 이러한 진균은 동물의 배설물에 서식하며, 이를 통해 공기 중으로 퍼져 사람에게 감염을 일으킬 수 있습니다.

- 토양을 자주 접하는 조경사와 정원사는 토양에 존재하는 아스퍼질루스와 같은 진균에 노출될 가능성이 있습니다. 특히 토양을 파고, 식물을 심고, 가꾸는 과정에서 진균 포자가 공기 중으로 들어올 수 있습니다.

- 먼지가 많은 환경에서 근무하는 군인이나 건설 노동자는 공사 현장의 토사나 건축 자재에서 발생하는 먼지에 포함된 진균 포자에 노출될 수 있습니다. 이 먼지는 흡입 시 호흡기를 통해 진균성 감염을 유발할 수 있습니다.

10.7.4. 병원 획득폐렴

병원 획득 폐렴은 병원이나 의료 기관 내에서 환자가 입원 중에 발생하는 폐렴을 의미합니다. 이러한 폐렴은 특히 면역 체계가 약화된 환자들에게서 자주 발생하며, 병원 내의 다양한 요인들이 원인이 될 수 있습니다.

- 기계 호흡: 인공 호흡기를 사용하는 환자들은 기계 호흡 관련 폐렴(VAP, Ventilator-Associated Pneumonia)의 위험이 있습니다. 호흡기 장비를 통해 병원성 미생물이 기도로 직접 전달될 수 있기 때문입니다.

- 기관 절개관: 기관절개를 한 환자들은 자연적인 기도 보호 메커니즘이 손상되어 병원 내 감염균에 노출될 위험이 증가합니다.

- 질병에 대한 치료중 면역약화: 화학요법, 방사선 치료, 면역억제제 사용 등으로 인해 환자의 면역 체계가 약화되면, 평소에는 문제를 일으키지 않는 미생물조차도 심각한 감염을 유발할 수 있습니다.

- 환자 간 감염: 병원 내에서 환자 사이에 직접적인 접촉이나 의료 기기, 의료진의 손을 통한 교차 감염이 발생할 수 있으며, 이는 병원 획득 폐렴의 원인이 될 수 있습니다.

10.8. 폐렴예방을 위한 체크리스트

10.8.1. 백신 접종

폐렴 및 그 원인균에 대한 백신 접종은 감염을 예방하는 가장 효과적인 방법 중 하나입니다. 인플루엔자 백신, 폐렴구균 백신 등은 특히 고위험군에서 폐렴 발생을 줄이는 데 중요한 역할을 합니다. 환자 뿐만 아니라 가족과 간병인도 접종하여 간접적인 전파를 방지해야 합니다.

10.8.2. 충분한 영양 섭취

면역 체계는 충분하고 균형잡힌 영양을 통해 강화됩니다. 비타민, 미네랄, 단백질 등이 풍부한 식단은 면역력을 증진시켜 감염에 대한 저항력을 높입니다.

10.8.3. 위생 관리

정기적인 손 씻기와 개인 위생 관리는 바이러스와 세균의 전파를 막는 기본적이면서도 중요한 수단입니다. 외출 후에는 옷에서 먼지를 털어내고 가능한 빨리 손을 씻어야 합니다.

10.8.4. 청정 공기 유지

정기적인 환기를 통해 실내 공기를 교체하고, 공기청정기 사용이나 실내 식물 배치 등으로 공기의 질을 개선할 수 있습니다. 이는 호흡기 감염의 위험을 줄이는 데 도움이 됩니다.

10.8.5. 구강 위생 관리

구강은 감염의 주요 입구 중 하나이므로, 정기적인 칫솔질과 구강 청결제 사용은 구강 내 세균의 증식을 억제하여 폐렴을 포함한 다양한 감염병의 위험을 감소시킵니다.

10.8.6. 사람 많은 곳에서 마스크 착용

대중교통 이용이나 사람이 많은 곳에서는 마스크를 착용하여 호흡기 감염의 위험을 줄입니다. 특히 감염병 발생이 높은 시기에는 공공장소에서의 머무름을 최소화하고, 필수적인 경우 마스크 착용을 생활화해야 합니다.

10.8.7. 와상 상태의 환자 관리

위루관 장착 환자는 위액이 기도로 유입되지 않도록 주의 관리해야 합니다. 튜브가 빠져 올라와 토출구가 기도에 위치한 상태에서 음식물 투여 시 폐로 직접 유입될 수 있으니 투여 시마다 반드시 위루관 빠짐 여부를 확인해야 합니다.

음식물 등이 기도로 유입되지 않도록 주의해야 합니다. 입안에 침이 고여도 삼킴 장애로 침이 기도로 유입되어 폐렴을 유발할 수 있으니 입안에 침이 구강 밖으로 배출될 수 있도록 자세를 취하거나 구강 내에 고인 침을 흡인기(석션기)로 흡입하여 제거해야 합니다.

대부분 환자 케어를 담당하는 사람들이 석션하는 시점은 기도에 침이나 가래가 차 환자가 힘들어 할 때 석션을 해왔습니다. 그 시점까지 방치한 후 침이나 가래를 흡인하게 되면 환자에게 고통을 안겨주고 상기도가 노출되어 상기도염에 감염되고 나아가서는 폐렴 감염도 쉽게 될 수 있습니다.

10.8.8. 중요한 내용

앞에서 열거한 내용을 모두 지켜서 이행할 수 없다 하여도 손 씻기, 마스크 쓰기, 사람 많은 곳 피하기와 함께 가장 중요한 사항은 대부분의 고령이며 장기간 와상 상태에 있는 환자는 대부분 연하(삼킴) 장애 환자로 음식물이나 침을 잘 삼키지 못하여 기도로 흘러 들어가게 됩니다. L튜브(코줄)나 G튜브(배줄)로 식사를 투여하는 환자는 침이 기도로 흘러 들어가게 되어 구강으로 식사를 하는 환자는 음식물과 침이 기도로 흘러들어가 흡인성 폐렴이 발생하게 됩니다. 또한 위 내용물이 역류하여 기도로 흡인되는 경우도 있어 이를 통틀어 흡인성 폐렴이라 합니다. 고령자 대부분 흡인성 폐렴으로 고생하게 됩니다. 역류에 의한 흡인성 폐렴을 예방하기 위해서는 식사 시와 소화되는 시간까지 상체를 일정 시간(1시간 30분 정도)을 45도 이상 올려 놓는 조치가 필요합니다.

입안으로 침이 분비되어 입안에 고이게 되는데 정상인은 침을 삼켜 입안에 고여 있거나 입 밖으로 흐르지 않습니다. 그러나 와상 환자 대부분 연하(삼킴) 장애로 인하여 삼키지 못하고 기도로 흘러 들어가게 되어 흡인성 폐렴이 발생하게 됩니다. 이러한 상태

를 예방하기 위해서는 입안에 고여 있는 침을 바로바로 흡인해내는 조치가 필요합니다. (1.석션 관리 참고)

- 기도폐쇄로 호흡곤란시 처치 https://youtu.be/d2spLIC3GPY
- 기도폐쇄 시 하인리히법 https://youtu.be/x00-QI-9j_g

10.8.9. 체액고갈에 따른 호흡부전 처치요령

건강한 사람은 영하 또는 영상의 높은 기온과 습도에서도 적응하고 잘 견디지만 체력과 체액이 고갈되어 체온조절 능력이 상실되므로 습도와 실내 온도에 주의를 기울여야 합니다. 그렇지 않으면 호흡부전으로 위험에 처하게 됩니다.

실내 온도는 25도가 적정온도이고 습도는 55%~59% 사이에서 편안함을 보였습니다. 기온이 최적 범위에 있다 하더라도 습도가 높거나 낮으면 호흡곤란을 느끼며, 또한 습도가 최적 범위에 있더라도 기온이 최적의 범위를 벗어나면 호흡곤란으로 이어집니다.

적응을 못하는 이유는 체액으로(땀 배출 등이 불가하여) 체온조절을 할 수 없기 때문입니다. 높은 기온에 따라 체온이 상승하면 열을 외부로 발산하기 위하여 체표면의 혈액량이 늘어나고 심부의 혈액량이 감소하기 때문에 저혈압, 중추신경장애, 신부전, 간손상, 심한 두통, 오한, 빈맥, 빈호흡, 심정지, 실신 등 심각한 문제가 발생하게 됩니다. 습도가 높으면 상대적으로 산소포화도에 문제가 발생하고 체온과 관련하여 조절이 불가합니다.

체크리스트
호흡기

□ **백신 접종, 양치질 실시**
→ 폐렴 및 그 원인균에 대한 백신 접종을 실시하여 감염을 예 방하고, 환자 및 가족, 간병인 등의 간접적인 전파를 방지

□ **영양 섭취**
→ 충분하고 균형 잡힌 영양 섭취를 통해 면역 체계를 강화하 여 감염에 대한 저항력

□ **위생 관리**
→ 정기적인 환기와 공기청정기 사용으로 실내 공기의 질을 개선하여 호흡기 감염의 위험 감소

□ **구강 위생 관리**
→ 정기적인 칫솔질과 구강 청결제 사용으로 구강 내 세균의 증식을 억제하여 감염병의 위험을 감소

□ **마스크 착용**
→ 대중교통 및 사람이 많은 곳에서 마스크를 착용하여 호흡 기 감염의 위험 감소

□ **와상 상태의 환자 관리**
→ 위루관 장착 환자의 경우 위액이 기도로 유입되지 않도록 주의하고, 음식물이나 침이 기도로 유입되지 않도록 관 리. 또한, 입안에 고인 침을 흡입하여 제거하여 흡인성 폐 렴을 예방

11. 영양섭취

영양 섭취는 모든 생명체가 생명을 유지하고 성장, 활동하는 데 필수적인 요소입니다. 양질의 영양소를 균형 있게 섭취하는 것은 신체의 정상적인 기능 유지, 질병에 대한 저항력 강화, 그리고 전반적인 건강 상태 개선에 매우 중요합니다. 영양소는 크게 탄수화물, 단백질, 지방, 비타민, 미네랄, 그리고 물로 구분되며, 이들 각각은 신체의 다양한 기능을 지원합니다.

예를 들어, 단백질은 세포의 구성 요소로서 세포의 성장과 수리에 필수적이며, 탄수화물은 신체의 주 에너지원으로 작용합니다. 지방은 에너지를 저장하고, 세포막의 구성 요소로 사용되며, 비타민과 미네랄은 신체의 대사 과정과 정상적인 기능 유지에 필요한 다양한 촉매 역할을 합니다.

영양소가 결핍되면 면역 체계가 약화되고, 성장과 발달이 저해될 수 있으며, 특정 질병에 대한 취약성이 증가할 수 있습니다. 반대로 영양소의 과잉 섭취도 건강 문제를 유발할 수 있으며, 예를 들어 지나친 지방 섭취는 비만, 심혈관 질환, 당뇨병과 같은 만성 질환의 위험을 증가시킬 수 있습니다.

환자의 경우, 특히 중요한 건강 상태에 따라 특정 영양소의 필요량이 증가하거나 감소할 수 있으므로, 개인의 건강 상태와 필요에 맞는 영양 섭취 계획을 세우는 것이 중요합니다. 영양사나 의료 전문가와 상담을 통해 균형 잡힌 식단을 구성하고, 필요한 경우 영양 보충제를 적절히 사용하여 영양 상태를 개선하는 것이 권장됩니다.

11.1. 위루관 사용 와상환자 식사

튜브를 통한 식사는 일반적인 식사와 달리 음식의 형태가 아닌 액체 형태로 제공되기 때문에, 영양소의 균형을 맞추는 것이 핵심입니다. 패스트푸드나 인스턴트 식품처럼 칼로리는 높지만 필수 영양소가 부족한 음식은 와상 환자의 건강을 해칠 수 있습니다. 이러한 식품들은 만성 피로, 호르몬 불균형, 영양 결핍 등을 유발할 수 있으며, 환자의 회복 과정에도 부정적인 영향을 미칠 수 있습니다.

이에 반해, 시중에 판매되는 특수 제작된 영양 식품이나 병원에서 처방하는 영양 공급 제품들은 다양한 필수 영양소를 균형 있게 함유하고 있어 와상 환자의 영양 상태를 개선하는 데 도움을 줄 수 있습니다. 이러한 제품들은 단백질, 탄수화물, 지방 뿐만 아니라 필수 비타민과 미네랄, 식이섬유 등을 포함하여 환자의 일일 영양 요구량을 충족시키도록 설계되어 있습니다. 영양 섭취 계획을 수립할 때는 환자의 건강 상태, 영양 상태, 그리고 개별적인 필요를 고려하여야 하며, 필요한 경우 영양사나 의료 전문가의 상담을 통해 적절한 영양 공급 계획을 세우는 것이 중요합니다. 이를 통해 와상 환자의 전반적인 건강과 회복을 지원하고, 영양 관련 합병증의 위험을 최소화할 수 있습니다.

11.2. 영양섭취가 환자에 미치는 영향

영양소는 에너지를 만드는 원료를 제공할 뿐만 아니라 호르몬 합성, 신경 전달 물질의 원료, 근육 형성 및 뼈 건강 등 많은 역할을 담당하고 있는데 특정 영양소가 결핍되면 질병과 면역력 약화로 이어질 수 있습니다.

저의 어머니는 2023년 현재 94세 고령인데 욕창이 4기로 치료 중 코로나에 감염되어 입원하셔서 욕창까지 치료를 했습니다. 그런데 치료 담당 의사는 어머니의 욕창은 돌아가실 때까지 치료는 되지 않을 것 같다고 하셨는데 단백질 음식 등 욕창에 좋다는 음식을 치료 기간 동안 드렸더니 욕창이 좋아지기 시작하여 완치되어 집에서 요양 중이십니다. 이렇듯 불가능할 것 같은 치료도 영양 섭취를 어떻게 하느냐에 따라 달라지게 된다는 것을 알게 되었습니다. 모든 병은 약이 치료를 하는 것이 아니라 몸의 회복력으로 치료가 됩니다. 몸이 회복하는 데 필요한 영양소(원료)를 잘 섭취하느냐에 따라 회복 여부가 결정된다는 것을 실제 경험하였습니다. 건강한 영양 섭취가 몸의 치유(회복)에 미치는 영향이 있다는 내용은 의학 논문에서도 나와 있습니다.

건강한 영양 섭취는 몸 자체의 회복력에도 도움을 줄 뿐만 아니라 면역력 향상에도 큰 영향이 있어 코로나도 완치되어 집에서 요양 중에 계십니다.

11.3. 튜브를 통한 와상환자 식사 음식의 종류

- 시중에 판매되는 경관식 제품 : 뉴케어, 그린비아, 메디프드, 이엔솔브 등이 있으며, 이러한 제품들은 일반적으로 영양 불균형이나 특정 영양 요구 상황에 사용됩니다. 이들은 각종 비타민, 미네랄, 단백질 등 필수 영양소를 균형 있게 포함하여 일상적인 영양 섭취를 지원하도록 설계되어 있습니다.

- 처방이 필요한 제품 : 엔커버, 하모닐란액 등이 있으며, 이러한 제품들은 특정 의학적 상태를 가진 환자를 위해 특별히 고안되었습니다. 이 제품들은 보통 의사의 처방을 받아야 사용할 수 있으며, 환자의 구체적인 영양 요구와 건강 상태에 맞춰 제공됩니다. 요양 급여 인정 시에는 비용의 일부 또는 전부가 보험 혜택을 통해 지원될 수 있지만, 그렇지 않은 경우에는 환자가 전액을 부담해야 합니다.

11.3.1. 오랜 침상 생활로 소화가 잘 안되는 환자는 어떤 제품을 먹나요?

- 300TF: 영양보충용 경관급식 (중환자)
- 화이바: 침상에 오래 계셔서 장의 활동이 많이 약해져 있는 분(호전 환자)

300TF는 중환자를 위한 영양보충용 경관급식으로 설계되었습

니다. 이 제품은 고칼로리, 고단백질로 구성되어 중증 환자의 영양 상태를 빠르게 개선하는 데 도움을 줍니다. 예를 들어, 중환자실에 입원한 환자 A씨는 심각한 영양 결핍 상태였으나, 300TF의 균형 잡힌 영양 공급으로 회복 속도가 빨라졌습니다. 이 제품은 특히 중증 질환으로 인해 고에너지와 고단백질이 필요한 환자들에게 적합합니다.

화이바는 오랜 침상 생활로 인해 장의 활동이 약해진 환자들을 위해 개발된 제품입니다. 이는 식이섬유가 풍부하여 장의 활동을 촉진하고 소화를 돕습니다. 예를 들어, 장기간 병상에 머무른 환자 B씨는 변비와 소화 불량 문제를 겪었으나, 화이바를 통해 장 운동이 개선되고 소화 상태가 좋아졌습니다. 이 제품은 특히 장기간 침상에 머무르는 환자들에게 권장되며, 장 건강을 유지하는 데 도움을 줍니다.

장기간 침상에 머무르는 환자들은 소화 기능 저하, 근육 약화, 영양 불균형과 같은 다양한 문제에 직면할 수 있습니다. 이러한 문제를 완화하기 위해, 영양적으로 완전하고 특화된 경관급식 제품의 선택이 중요합니다. 의료 전문가들은 환자의 개별적인 영양 필요와 건강 상태를 평가하여 적절한 제품을 처방해야 합니다.

11.3.2. 설사 환자는 어떤 음식 섭취가 가능하나요?

– 장플렌: 장염이 지속되거나, 설사가 잦을 경우 영양보충이 가능합니다.

와상환자가 설사 증상을 겪을 때, 영양 관리는 더욱 복잡해집니다. 설사는 영양소의 흡수를 방해하고 탈수를 유발할 수 있으므로, 이러한 환자들을 위한 특별한 식단 조정이 필요합니다. 장플렌은 장내 환경을 개선하고 영양 흡수를 돕는 성분을 포함하여 설계되었습니다.

설사를 겪는 와상환자의 식단은 가벼우면서도 영양적으로 충분해야 합니다. 단순 탄수화물, 낮은 지방, 적절한 단백질, 필수 비타민과 미네랄을 포함해야 하며, 충분한 수분 섭취도 중요합니다. 또한, 식이섬유의 적절한 조절이 필요합니다. 과도한 섬유질은 설사를 악화시킬 수 있으므로, 이를 조절하는 것이 중요합니다.

11.3.3. 하이프로틴과 칼로리 1.5의 차이는 무엇인가요?

단백질 보충을 해준다는 점에서는 동일하지만, 같은 용량당 칼로리가 다릅니다.

- 하이프로틴: 200Kcal/200ml
- 칼로리1.5:300Kcal/200ml
*즉 칼로리 1.5를 섭취할 경우 동일량을 섭취하더라도 더 높은 열량을 제공한다고 보시면 됩니다.

하이프로틴과 칼로리 1.5의 선택은 환자의 개별적인 건강 상태, 영양 요구, 그리고 활동 수준에 따라 달라집니다. 단백질은 근육 유지와 회복에 필수적인 요소이며, 적절한 열량 섭취는 전반적인 에너지 밸런스와 건강 유지에 중요합니다. 체중 관리가 필요한 환자에게는 하이프로틴이, 더 높은 열량 요구를 가진 환자에게는 칼로리 1.5가 권장됩니다.

11.3.4. 경관식 투여시 주의사항

1. 체위 시마다 경관튜브의 고정상태를 확인해주세요.

경관튜브는 환자의 움직임에 따라 위치가 변할 수 있으므로, 체위를 바꿀 때마다 튜브의 고정 상태를 확인하는 것이 중요합니다.

2. 식사 전 경관튜브 위치와 소화 상태를 확인합니다.

식사 전에는 튜브의 위치가 적절한지, 그리고 환자의 소화 상태가 식사를 받아들일 준비가 되었는지 확인해야 합니다.

3. 식사후 30분 정도는 반좌위를 유지해주세요.

식사 후에는 최소 30분 동안 반좌위를 유지하여 소화를 돕고 역류를 방지합니다.

4. 평소에도 30도 상체를 올려서 역류를 예방합시다.

상체를 약간 올린 상태를 유지하면 경관식이 위로 역류하는 것을 방지할 수 있습니다.

11.3.5. 음식 삼킴, 물 삼킴이 힘든 경우의 환자는 어떻게 하나요?

연하곤란 환자들의 경우 영양불량, 흡인 등을 막기 위해 점도 증진제 사용을 권장드립니다.

음식과 물을 삼키는 데 어려움을 겪는 연하곤란 환자들의 영양관리는 특별한 주의가 필요합니다. 연하곤란 환자들은 음식이나 액체가 기도로 들어가는 것을 방지하기 위해 더 두껍고 점도가 높은 식사를 필요로 합니다. 이를 위해 점도 증진제를 사용하여 음식과 음료의 질감을 조절할 수 있습니다.

점도 증진제를 사용할 때는 환자의 개별적인 필요와 삼킴 능력에 맞게 식사의 질감을 조절해야 합니다. 점도가 너무 높으면 삼키기 어렵고, 너무 묽은 식사는 흡인의 위험을 증가시킬 수 있습니다.

이러한 경우에 저는 점도 증진제와 같은 첨가제 사용을 지양하고 경관식에 죽을 첨가하여 믹셔기로 분쇄하여 탄수화물 공급도 추가하며 점도도 조절하는 일석이조의 효과를 얻고 있습니다.

11.3.6. 점도증진제란?

음식물의 점도를 원하는만큼 조절할수 있도록 하는 제품으로 구강, 인후에 음식물이 기도로 흘러들어가거나 흡인되는 위험을 억제하기 위한 보조제 입니다.

연하곤란을 겪는 환자들에게 필수적인 제품으로, 구강 및 인후에 음식물이 걸리는 것을 방지하고 기도 흡인의 위험을 줄이는 데 중요한 역할을 합니다. 점도 증진제는 액체나 반고체 형태의 식사에 첨가하여 그 질감을 조절하는 데 사용됩니다. 다양한 질감의 필요에 따라 조절 가능하며, 환자가 음식을 쉽게 삼킬 수 있도록 도와줍니다.

점도 증진제의 사용은 환자의 개별적인 삼킴 능력에 맞춰 조절되어야 합니다. 너무 높은 점도는 환자가 음식을 삼키는 데 어려움을 겪을 수 있으며, 너무 낮은 점도는 흡인의 위험을 증가시킬 수 있습니다. 따라서, 영양사나 의료 전문가와 상의하여 환자에게 적합한 점도를 결정하는 것이 중요합니다.

11.3.7. 삼킴정도에 따라, 점도증진제는 어떤 농도로 타 먹어야 하나요?

연하곤란 환자들의 영양 관리에서는 삼킴의 정도에 따라 점도 증진제의 농도를 조절하는 것이 중요합니다. 이러한 환자들을 위한 연하 보조 식이는 삼킴 능력에 따라 다양한 단계로 구분되며, 각 단계별로 적절한 점도 증진제의 사용이 필요합니다.

연하곤란환자 식이별 점도증진제 농도는?

연하보조식이 단계. 환자별 증상, 삼킴정도. 점도증진제 농도 300ml 기준

- 1단계 : 씹는 기능이 불가능한 환자. 으깬 감자 정도 [3포]
- 2단계 : 오래 씹는 증상을 보이는 환자. 국물 제한. 다진 찬 [2포]

- 3단계 : 수분섭취 시 기침 있는 환자. 국물 제한. 죽&밥 [1포
  – 1.5포]
- 4단계 : 일반죽과 농도가 거의 비슷함. 국물 제공. 죽&밥선택
  [1포]

점도 증진제의 올바른 사용은 연하곤란 환자들의 삶의 질과 영양 상태를 크게 향상시킬 수 있습니다. 환자의 삼킴 능력과 개별적인 필요에 맞춰 적절한 농도의 점도 증진제를 사용하는 것이 중요합니다. 가족과 간병인들은 이러한 지침을 잘 숙지하고 정기적으로 환자의 상태를 평가하여 필요에 따라 식사의 질감을 조정해야 합니다. 이를 통해 연하곤란 환자들에게 안전하고 적절한 식사 환경을 제공할 수 있습니다.

11.4. 처방 및 제조된 음식 이외 투여할 수 있는 식재료

와상환자에게는 특화된 경관식이 주된 영양 공급원으로 사용되지만, 이외에도 다양한 식재료와 영양제를 활용하여 영양을 보충할 수 있습니다.

▶ 경관식 외에 과일이나 야채, 고기 등 필요한 음식을 믹서로 갈아 투여할 수 있습니다. (간식 등 부족한 영양 공급)

▶ 각종 영양제 정맥주사

경구 영양 섭취가 어려운 환자에게는 각종 영양제를 정맥주사로 투여할 수 있습니다. 이 방법은 특히 중요한 영양소가 빠르게 필요한 경우에 유용합니다.

이러한 대안적 영양 공급 방법은 환자의 특정 영양 요구와 건강 상태에 맞게 조절되어야 합니다. 믹서로 갈아서 제공하는 식재료는 환자의 삼킴 능력과 소화 상태를 고려하여 안전하게 준비되어야 합니다. 정맥주사를 통한 영양제 투여는 의료 전문가의 지시에 따라 이루어져야 하며, 환자의 전반적인 건강 상태를 고려하여 진행되어야 합니다.

11.5. 주의할 음식

와상환자, 특히 고령자와 면역력이 저하된 환자들의 식사 관리에서는 특정 음식에 대한 주의가 필요합니다. 이들은 세균 감염에 취약하기 때문에, 식중독의 위험이 높은 음식을 피해야 합니다. 이 글에서는 주의해야 할 음식과 그에 따른 위생 관리 방법을 살펴봅니다.

▶ 고령환자와 면역력 저하자에게는 어폐류 등 세균감염에 취약한 음식을 절대 드려서는 안됩니다.

▶ 다음 음식도 위험합니다. 시중에 유통되는 가공조제식품인 죽 등도 원 식재료가 냉장 또는 냉동으로 유통되는 관계로 속까지 데워지지 않아 균이 감염되어 식중독을 일으키는 경우가 있으니

각별히 조심해야 합니다.

　와상환자의 식사 관리에서는 식품의 안전과 위생이 중요합니다. 특히 면역력이 약한 환자들의 경우, 식품의 취급과 조리 과정에서 철저한 위생 관리가 필수적입니다. 모든 식품은 충분히 가열되어야 하며, 신선도가 보장된 식재료의 사용이 권장됩니다.

　간병인과 가족들은 환자가 섭취하는 식품의 안전성을 항상 확인하고, 위생적인 식사 환경을 유지해야 합니다. 또한, 정기적으로 식품 안전에 대한 지식을 업데이트하고, 환자의 식사에 대한 주의사항을 숙지하는 것이 중요합니다. 이를 통해 환자의 건강을 보호하고, 식중독과 같은 합병증을 예방할 수 있습니다.

III. 요양환자 실전 관리
- 심화

1. 응급상황발생시 조치

외상 상태 환자의 응급 상황 발생 시 조치는 신속하고 체계적으로 이루어져야 합니다.

- 119에 신고 후 응급 조치 시행: 응급 상황 발생 시 가장 먼저 119에 신고하여 구급대의 도움을 요청합니다. 신고 후, 전화를 통해 받는 지시에 따라 기본적인 응급 조치를 시행할 수 있습니다.

- 환자 상태 설명: 구급대 도착 전이나 도착 즉시 환자의 상태를 상세히 설명해야 합니다. 이는 골절 부위, 욕창의 위치, 의식 상태 등을 포함할 수 있으며, 이 정보는 구급대원이 환자에게 적절한 처치를 하는 데 필수적입니다.

- 약물 복용 정보 제공: 환자가 현재 복용 중인 약물과 최근에 복용한 약물에 대한 정보를 구급대원에게 제공합니다. 이는 약물 상호 작용이나 알레르기 반응 등을 예방하는 데 중요합니다.

- 응급실 입실 준비: 응급실에는 인원 통제가 있을 수 있으므로, 필요한 개인 용품(기저귀, 수건, 거즈, 티슈 등)을 미리 준비하여 입실 준비를 합니다. 이는 환자의 편안함과 위생 관리를 위해 필요합니다.

2. 병원에 도착 후 고지사항

- 구급대원이 환자에 대해 파악한 내용을 병원측에 전달합니다.
- 보호자가 병원측에 전달한 정보(현재 상태, 병 이력 등)를 구체적으로 파악하고 있으면 치료하는데 도움이 됩니다.

병원에 도착한 후, 환자의 효과적인 치료와 관리를 위해 몇 가지 중요한 사항을 고지해야 합니다. 구급대원은 현장에서 환자에 대해 파악한 내용을 병원 측에 전달합니다. 이 정보에는 환자의 의식 상태, 호흡 및 순환 상태, 가능한 부상 및 질병의 증상, 현장에서 시행한 응급 조치 등이 포함될 수 있습니다. 이 초기 정보는 응급실 의료진이 환자의 상태를 빠르게 평가하고 필요한 응급 치료를 시작하는 데 도움이 됩니다.

보호자는 구급대원과 병원 의료진에게 환자의 현재 상태와 병력에 대해 구체적으로 고지해야 합니다. 이에는 최근의 의학적 문제, 만성 질환, 알레르기 반응, 현재 복용 중인 약물, 과거 수술 이력 등이 포함됩니다. 특히 환자가 의사소통을 할 수 없는 경우, 보호자의 정보 제공은 환자 치료에 있어 매우 중요합니다.

또한, 환자의 생활 습관, 가족력, 사회적 상황 등 추가적인 정보도 치료 계획 수립에 중요한 역할을 할 수 있습니다. 이러한 정보는 환자의 전반적인 건강 상태를 이해하고, 치료 계획을 세우는 데 기여합니다.

3. 응급실에서의 초기 처치

- 응급실에서는 위급한 상태만 치료를 하고 크게 이상이 없으면 퇴원 조치하나 입원치료가 필요할 때에는 입원 조치

응급실에서 환자의 상태가 위급한 상태일 경우에 추가 치료를 위해 입원하거나, 필요한 경우 특정 검사나 절차를 위해 다른 부서로 이송될 수 있습니다. 반면 환자가 응급 처치 후 큰 이상이 없고 안정된 상태라면, 집에서 회복할 수 있도록 퇴원 조치될 수 있습니다. 이 경우 의료진은 퇴원 지침을 제공하며, 필요한 약물 처방, 후속 진료 예약, 집에서의 관리 및 주의사항에 대한 지침을 포함할 수 있습니다.

입원이 필요한 경우, 의료진은 환자의 상태를 면밀히 모니터링하고, 진단을 확정하며, 적절한 치료 계획을 수립하기 위해 입원 조치를 결정합니다. 입원 치료는 환자의 상태에 따라 달라질 수 있으며, 필요에 따라 다양한 의료 전문가의 협력 하에 이루어집니다.

4. 병원생활에 필요한 준비물

- 평소에 환자를 케어할 때 사용하는 물품을 준비 – 기저귀 등

- 보호자 필요한 물품 지참 – 세면도구, 식사용품, 컵 수건, 편안한 옷 면도기, 간식, 환자용 간식

병원 생활은 환자와 보호자 모두에게 예상치 못한 상황과 요구 사항을 가져올 수 있으며, 이에 대비한 적절한 준비는 필수적입니다. 병원에서의 편안한 체류와 효율적인 치료를 위해 필요한 준비물은 환자와 보호자의 편의성을 높이는 데 도움을 줍니다.

이러한 준비물은 환자의 치료 과정을 보다 원활하게 하고, 환자와 보호자가 병원 생활에 빠르게 적응할 수 있도록 돕습니다. 환자의 편안함과 안정감은 치료 과정에서 매우 중요하며, 이는 회복 속도에도 영향을 미칠 수 있습니다.

병원 생활에 필요한 준비물은 환자의 필요와 보호자의 편의성을 모두 고려하여 준비하는 것이 좋습니다. 이를 통해 환자와 보호자는 병원에서의 시간을 보다 효과적으로 관리하고, 필요한 모든 것을 갖춘 상태에서 환자의 회복에 집중할 수 있습니다.

누구나 쉽게 배우는 집에서 혼자 환자 돌보기 매뉴얼

5. 병원생활 중 알아두면 좋은 꿀팁

응급실이나 일반 병실은 모든 환자들에게 환경이나 실내 온도 등을 적합하게 해줄 수는 없습니다. 그중에서 체온 유지가 면역력 유지에 중요하기 때문에 체온 관리를 잘해야 합니다. 환자의 체온을 유지하는 데 준비된 장비나 기구가 없다면 간호사실에 비치된 비닐봉지를 활용하여 수건을 온수로 적셔 비닐봉지 속에 넣어 다리 부위 등 체온이 쉽게 떨어지는 부위에 천(옷)이나 수건 등으로 피부를 보호한 후 비닐봉지 속에 따뜻한 물로 적셔 넣은 온수팩으로 활용할 수 있습니다. (피부에 직접 닿으면 화상 위험이 있음)

수건이 없는 경우, 비닐봉지에 따뜻한 물을 담아 보온팩으로 사용할 수 있습니다. 하지만 이 방법을 사용할 때는 몇 가지 주의사항을 염두에 두어야 합니다. 먼저 물의 온도가 너무 뜨겁지 않도록 해야 합니다. 너무 뜨거운 물은 비닐봉지를 통해 피부에 직접적인 열을 전달할 수 있으며, 이는 화상을 유발할 수 있습니다. 또한, 비닐봉지의 내구성을 고려하여 너무 많은 양의 물을 담지 않아야 합니다. 과도한 양의 물은 비닐봉지가 견디지 못하고 터질 위험이 있으며, 이로 인해 환자의 안전과 병실의 청결이 위협받을 수 있습니다. 따라서 적당한 온도의 물을 적절한 양만 담아 사용하고, 비닐봉지의 안전성을 정기적으로 확인하면서 사용하는 것이 중요합니다.

온수가 없는 경우, 전자레인지를 활용하여 수건을 물에 적셔서 따뜻하게 데우는 방법이 유용할 수 있습니다. 이는 특히 병원이나 요양 시설에서 온수를 즉시 사용할 수 없을 때 효과적인 대안이 될 수 있습니다. 전자레인지를 사용할 때는 너무 뜨겁게 가열되지 않도록 주의해야 합니다. 너무 높은 온도로 가열된 수건은 화상을 일으킬 위험이 있으므로, 가열 시간을 짧게 설정하고, 가열 후 온도를 확인하여 적절한 온도에 도달했는지 확인하는 것이 중요합니다. 또한, 전자레인지 안전 사용 지침을 준수하고, 전자레인지에 적합한 용기를 사용하는 것이 중요합니다. 수건이 없을 경우에는 전자레인지를 사용하여 물을 따뜻하게 한 후, 물을 비닐봉지나 다른 보온 용기에 옮겨 담아 사용할 수 있으며, 이를 통해 환자의 체온 유지를 돕거나 차가운 환경에서의 보온 조치로 활용할 수 있습니다.

입원을 대비해 준비하는 물품 목록은 환자의 상태와 필요에 따라 달라질 수 있지만, 일반적으로 필요한 기본 물품들이 있습니다. 기저귀와 티슈, 물티슈는 개인 위생 관리에 필수적이며, 비닐장갑과 거즈, 반창고는 간단한 상처 관리나 위생적인 접촉을 위해 필요할 수 있습니다. 수저와 숟가락, 치약과 칫솔, 물컵은 일상적인 식사와 구강 위생 관리에 필요합니다. 음식물을 데울 수 있는 큰 그릇은 병원에서 제공하는 식사 외에 필요한 경우를 대비하여 준비하는 것이 좋으며, 거즈 손수건과 수건 여러 장은 목욕이나 청결 유지에 사용될 수 있습니다. 환자복과 속옷은 환자가 편안하게 입을 수 있도록 여분으로 준비하는 것이 좋으며, 비닐봉투는 더러워진 옷이나 기타 폐기물을 담는 데 사용할 수 있습니다. 상처에 바르는 연고는 간단한 피부 문제나 상처 치료에 유용하며, 병원에서 제공하지 않는 경우가 많기 때문에 온찜질 팩도 추위나 저체온 상태에 대비해 준비해 두는 것이 좋습니다.

병원에 입원 시 환자나 보호자는 환자의 상태 변화나 증세를 주의 깊게 관찰하고 기록하는 것이 중요합니다. 담당 의사의 회진 시간에 이러한 관찰 결과를 정확하고 구체적으로 전달하면, 의사는 환자의 현재 상태를 더 잘 이해하고 필요한 치료 계획을 조정할 수 있습니다. 이를 위해 증상의 시작 시간, 강도, 지속 기간, 증상이 나타나는 특정 상황, 증상에 영향을 주는 요인, 증상을 완화시키거나 악화시키는 조건 등을 포함한 상세한 정보를 준비하는 것이 도움이 됩니다. 또한, 환자가 복용 중인 약물, 약물에 대한 반응, 부작용, 기타 치료에 대한 반응도 의사에게 전달해야 합니다. 이러한 정보는 의사가 환자의 진단과 치료에 필요한 정확한 의료 결정을 내리는 데 필수적입니다.

병원 이용 시 주차 시설과 관련된 정보를 미리 파악해 두는 것은 병원 방문을 보다 수월하게 만들어 줍니다. 대부분의 병원에서는 환자와 방문객을 위한 주차 시설을 제공하며, 일부는 주차 요금 할인이나 무료 주차 혜택을 제공하기도 합니다. 예를 들어, 장기 입원 환자의 가족이나 정기적으로 통원 치료를 받는 환자들에게 할인된 요금이나 특정 시간 동안 무료로 주차할 수 있는 옵션이 있을 수 있습니다. 또한 주차 시간 제한, 주차장의 위치, 장애인 주차 공간의 유무 등도 중요한 정보입니다.

병원 이용과 관련하여, 병원 내에는 환자와 방문객의 편의를 위한 다양한 시설과 제도가 마련되어 있습니다. 이에는 휠체어 대여 서비스, 휴게 공간, 상담 서비스, 정보 안내 데스크 등이 포함될 수 있습니다. 이러한 시설과 서비스를 효과적으로 활용하면 병원 방문이나 입원 생활이 보다 편안해질 수 있습니다.

병원생활에서 가장 중요한 내용입니다.

요점
1. 의료사고 대비를 해야하는 이유
2. 의료사고 시 대응 방법
3. 병원측의 대응 행태
4. 오진 문제
5. 약 처방 관련 용법 용량 확인

5.1. 의료사고 대비를 해야 하는 이유

병원에서는 생명과 인체에 밀접한 사항을 다루는 곳으로 사고 시에 첨예한 대립이 발생하는 곳이기도 합니다.

주위나 언론에서 많이 접해본 내용으로 의료사고 소식을 들어보셨을 겁니다.

의료사고는 남의 일이 아니고 바로 당신에게 일어날 수 있는 일이기도 합니다.

나 아니면 내가족 주위 친인척 등이 관련될 수도 있습니다. 병원에는 건강하더라도 사고 등으로 인하여 갈 수도 있습니다.

언론이나 주위에서 전해듣는 의료사고 분쟁 내용을 들어보면 대부분 의료기관에서 과실을 인정하지 않아서 발생하는 문제로 의료기관에서는 과실이 있더라도 내용이 명확하게 밝혀지지 않는 사항에 대해서는 절대로 과실을 스스로 인정하지 않는 속성이 있습니다.

의료기관의 과실로 인하여 생명까지 잃는 일이 다반사로 발생하게 되는데 이런경우에 최근까지는 환자측에서 의료 과실여부 근거를 제시했어야 했는데 이제는 의료진에 과실이 없다는 증거를 제시하는 것으로 변경되었습니다.

의료사고가 발생하게 되면 병원측에서 진료기록을 조작한다던지 하는 불법도 자행하게 되고 여러 행태로 과실을 모면하려는 시도를 하는 경우가 발생합니다.

대부분의 의료사고는 의료 처치의 기본을 지키지 않는 것으로부터 시작하여 좌측팔다리를 절단해야 하는데 우측을 절단한다던지 다른 증상의 환자를 뒤바꿔 수술한다던지 치과 치료시 정상치아를 발치한다던지 수술시 혈관이나 림프관을 잘라놓고 봉합을 하지 않고 마무리 하는 등 사고의 유형은 수없이 많습니다.

이러한 유형은 비교적 과실여부를 판단하기가 어렵지는 않습니다.

그러나 고령에 의사표시가 불가능한 환자에 경우 대부분 골다공증이 심한 상태에 있는데 각종 검사 시에 X레이, CT, MRI 촬영, 각종 체액 채취 검사 시나 이동 중에 주로 골절사고가 많이 발생하게 됩니다.

의사표시를 할 수가 없으므로 발생당시는 바로 골절여부를 알수가 없습니다. 시간이 흐른뒤에 골절부위가 붓기 시작하고 X레이 촬영을 해본 후에나 알 수가 있습니다.

5.2. 의료사고 시 대응 방법

부주의한 행위로 인한 사고발생이 끝난 후라서 심증은 있으나 언제 어디서 누가 어떻게 해서 골절이 발생되었는가를 특정하기가 매우 어려운 상황에 놓이게 됩니다. 이런 경우 의료에 종사하는 사람들과 대형병원은 대외적으로 대응을 하는 법무팀을 운영하는 데 하늘이 두쪽 나도 절대 인정하지 않습니다. 설령 의료인이 인정하려해도 법무팀에서 인정 못하게 교육을 시킵니다. 이유는 법으로 간다면 명확한 증거주의기 때문에 골절행위를 특정하여 증거를 취득한 자료가 없기 때문에 법으로 가도 증거 불충분으로 병원측에서 승소할 수밖에 없기 때문입니다. 법을 알고 대응하는 전문 법꾸라지들을 상대하려면 피해자인 환자 측에서도 법적인 자문을 미리받아 대응을 해야 됩니다.

이러한 상황이 발생하게 되면 먼저 진료기록을 확보하고 대응을 해야 되는데 감정에 치우쳐 먼저 고소, 고발을 하게 되는데 이것은 신중하게 확인 후 해야 됩니다. 대부분 기자나, 경찰 등은 대형병원이나 의료기관에 가깝습니다. 피해자가 명확한 증거를 제시하지 않는한 대부분 무혐의로 종결짓기 때문입니다.

단순하게 무혐의로 끝나는 게 아니라 무고죄로 역으로 고소, 고발당할 수도 있고 추후 소송까지 진행될 때 의료기관에서 근거 자료로 소송을 제시하면 재판부에서 참고자료로 활용되는 사태도 발생하기 때문입니다.

추가로 참고할 것은 감정에 치우쳐 억울함을 호소하기 위하여 웹상에 무분별하게 해당의료기관에 잘못한 내용을 올리면 명예훼손으로 기소 당할 수가 있으니 참고 하시고 이런 억울함을 당하지 않기 위해서는 최소한의 방어를 환자와 보호자 스스로 해야 합니다.

최근에 의료법이 보완되어 수술실 CCTV 설치 의무화를 하게 했는데 주요 내용을 살펴보면 환자 의식이 없는 상태에서 수술을 시행하는 의료기관의 개설자는 수술실 내부에 CCTV를 설치해야 한다. 전신마취나 의식하진정(일명 수면마취) 등으로 환자가 상황을 인지·기억하지 못하거나 의사를 표현할 수 없는 상태에서의 수술이 대상이다.

수술실에는 네트워크 카메라가 아닌 CCTV를 설치해야 하며, CCTV를 설치할 때는 고해상도(HD급) 이상 성능을 보유한 것으로 사각지대 없이 수술실 내부를 전체적으로 비추면서 수술받는 환자와 수술에 참여하는 사람 모두가 나타나게 설치해야 한다.

의료기관은 환자 또는 환자 보호자가 요청하는 경우에 수술 장면을 촬영해야 한다. 촬영을 원하는 환자 또는 보호자는 촬영 요청서를 의료기관의 장에게 제출하면 된다.

이를 위해 의료기관장은 수술 장면 촬영이 가능하다는 내용을 환자가 미리 알 수 있도록 안내문 게시 등의 방법으로 알려야 하며, 촬영을 요청하는 환자 또는 보호자에게 촬영 요청서를 제공해야 한다.

수술 등을 할경우에 촬영을 의뢰할 수는 있으나 의료행위 시에 과실까지는 확인을 하지 못하더라도 다른 의사 또는 심지어는 장비납품업자가 수술을 하는 경우도 있다하니 이런 경우라도 방지하는 차원에서 수술 시 촬영은 필수로 해야 됩니다.

수술 이외에 다른 의료행위를 위한 이동 및 검사 시에 발생하는 사고에 대해서는 거의 무방비로 노출되어 있습니다. 이러한 경우에 검사를 위한 이동을 할 경우에는 반드시 보호자가 동행하여 사고방지를 위하여 이동해주는 사람과 검사자 촬영자에게 골다공증이 심하고 몸이 굳어 있으니 주의를 요한다고 주지를 시켜주어야 합니다. 촬영이나 검사에만 신경을 쓰다보면 굳어 있는 팔다리를 무리하게 움직여 골절시키는 사례가 많이 발생하게 됩니다.

검사실이나 촬영실에는 보호자는 들어 갈 수 없습니다.(대부분 들어오지 못하게 합니다)

밖에서 대기하다 환자가 나오면 환자 몸에 이상이 없는지 이상유무를 그 자리에서 반드시 확인해야 합니다 반드시 현장에서 하는 이유는 환자가 의사표시가 불가한 경우 언제 누가 어떻게 해서 골절이 된 것 같다는 의사표시가 불가하고 환자가 즉시 고통 호소를 못하기 때문입니다.

이상유무 확인은 팔다리의 움직임이 평소와 다른 경우 예를 들어 굳어 있던 팔다리가 힘없이 덜렁거린다든지 팔다리에 손을대거나 움직일 경우 깜짝깜짝 놀라는 경우는 100% 골절되어 있기 때문입니다. 환자에 대한 처치나 검사 촬영 후 즉시 현장에서 확인을 하지 않을 경우 추후에 검사나 촬영 후에 골절되었다고 아무리 주장을 해도 병원측에서는 절대로 인정하지 않습니다.

5.3. 병원측 대응 행태

대부분의 대형병원은 이러한 사고에 대비하여 법무팀을 운용하는데 해당부서는 법적분쟁으로 갔을 경우 법적인 관계를 알고 있기 때문에 어떠한 경우라도 명확한 증거를 제시하지 못하면 승소가 불가한 것을 알고 있기 때문에 예를 들어 며칠이 지난후에 골절이 확인되어 며칠 전에 검사 시에 그런거 같다고 한다면 병원측 직원이 했다는 명확한 증거를 제시하라고 합니다.

이렇게 나오므로 반드시 어떠한 행위(각종 검사,촬영 등)를 한 후에는 현장에서 즉시 상태를 확인 후 이상이 있을 경우 주무부서에 인정과 확인을 반드시 받아 책임소재를 분명히 하고 절차를 밟아놓아야 합니다.

의료사고는 입원실에서도 일어납니다. 입원 중에는 각종 체액을 채취하여 각종 검사를 진행하는 데 주로 피 검사나 소변 검사 등을 위하여 입원실에 내방하여 채취하면서 굳어 있는 몸을 무리하게 움직이면서 사고가 발생하게 됩니다.

검체 채취하기 위하여 왔을 경우에는 반드시 보호자가 지켜보면서 환자의 상태를 주지시켜 사고예방을 해야하는데 보호자가 없을 경우에 검체 채취자가 와서 채취하고 간 후에 일어난 사고는 병원측에서 발뺌하면 채취자가 인정하지 않는 한 책임을 추궁할 방법이 없습니다.

이러한 경우를 대비하기 위하여 병실에 CCTV를 설치할 수 는 없고 지금 입원실은 개인 사생활을 중요시하여 각각의 칸막이를 설치하여 운용하고 있으므로 개인적인 촬영이 가능하므로 사용하지 않는 휴대폰을 활용하여 CC카메라 앱을 다운받아 원격 확인 및 상시 녹화가 가능합니다. 이러한 자구책을 강구하여 의료사고 등에 대비할 필요가 있습니다.

이러한 사항을 대수롭지 않게 생각하고 대비를 하지 않고 있다가 사고가 났을 경우 크게 후회하게 되니 반드시 대응해야 됨을 알려 드립니다.

당신 또는 당신의 가족, 일가친척이 이러한 상황을 겪을 수 있습니다. 남의 일이 아님을 명심하십시오.

5.4. 오진 문제

병의 정확한 진단은 병을 치료하는데 있어서 필수적입니다. 오진은 잘못된 치료를 시행하여 정상인 신체를 망가뜨리는 경우와 경우에 따라서는 심각한 후유증으로 어려움에 처할수도 있습니다. 그런데 이런 오진을 해놓고도 사과나 자세한 설명도 없이 오진에 관련한 치료비용도 오롯이 환자가 부담하고 있는 경우가 비일비재 합니다. 특히 대형병원에서 이러한 경우가 많이 발생합니다.

오진이 발생하여 피해가 발생하더라도 병원측에서는 오진이라 인정하지 않습니다. 단순하게 치료과정이라고 합니다.

5.5. 약 처방 관련 용법 용량 확인

일반인이 의료전문가처럼 알 수는 없어도 요즘엔 웹상에서 웬만한 의료상식과 전문지식까지도 알아볼 수가 있는데요, 약을 처방하여 복용을 하는데 그 약에 대한 효능과 부작용 등이 자세하게 서술되어 있는데 환자가 약을 복용한 후 해당 부작용 등이 나타날 경우 의료진에게 반드시 전하여 조치를 받아야 합니다.

예를 들어서 약 처방을 할 경우에는 용법과 용량이 있는데 대부분의 약은 유아, 소아, 성인 등에 약의 용량을 다르게 처방하게 되어 있습니다.

그런데 의사들이 처방을 할 때 나이만을 보고 처방을 하는경우가 있습니다.

이런 경우에는 약 성분이 인체에 치료효과를 미치려면 체중과 관련하여 용량을 참고해 처방을 해야 하나 나이만을 참고하여 처방한 경우 성인이라도 체중이 20kg 미만이 될 경우에는 과량의 약물 투여로 심각한 문제가 발생할 수 있습니다.

의사의 회진 시 간호팀에 약처방에 대하여 체중이 얼마인데 참고가 되었는지 의사전달을 명확히 해야 됩니다.

그런데 대형병원은 교수가 있고 주치의가 있는데 따로 따로 회진할경우에는 두 사람 모두에게 약 용량에 대해 의사를 전달해야 합니다. 서로 미루고 처방을 정확하게 확인이 되지 않는 경우가 많이 발생하게 됩니다.

　지금은 약품 이름과 용량이 약 봉투에 기재가 되어 오는데 해당 약에 대하여 웹상에서 검색해보아서 용량이 적정량이 처방 되었는지 부작용이 발생하지 않았는지 살펴서 의사에게 반드시 전달해서 부작용 피해와 불필요한 치료를 막아야 합니다.

6. 주의해야 할 바이러스 감염정보

(MSD 매뉴얼 참고, 작성자: The Manual's Editorial Staff)

6.1. 세균과 바이러스의 차이

종류	세균	바이러스	비고
특성	균에 의한 것 또는 균이 생산하는 독소에 의하여 식중독 발병	크기가 작은 DNA 또는 RNA가 단백질 외피에 둘러 싸여 있음	
증식	온도, 습도, 영양성분등이 적정하면 자체증식 가능	자체증식이 불가능하며 반드시 숙주가 존재하여야 증식 가능	
발병량	일정량(수백~수백만) 이상의 균이 존재하여야 발병 가능	미량 (10~100) 개체로도 발병 가능	
증상	설사, 구토, 복통, 메스꺼움, 발열, 두통 등	메스꺼움, 구토, 설사, 두통, 발열 등	증상은 유사함
치료	항생제 등을 사용하여 치료 가능하며 일부 균은 백신이 개발되어 있음	일반적 치료법이나 백신이 없음	
2차 감염	2차 감염되는 경우는 거의 없음	대부분 2차 감염됨	

6.2. 바이러스성 감염 개요

▶ 바이러스는 미세한 생물체입니다. 바이러스는 매우 작아 가장 강력한 현미경으로만 볼 수 있습니다. 바로 이 때문에 이들은 미생물이라 합니다(마이크로는 아주 작음을 의미합니다). 박테리아가 다른 흔한 미생물입니다. 바이러스는 박테리아보다 훨씬 작습니다.

▶ 박테리아와 달리, 바이러스는 스스로 복제할 수 없습니다. 따라서 바이러스가 신체에 침입할 때, 이는 일부 세포를 포획한 후 이 세포 내 구조를 사용하여 바이러스 복제본을 생성합니다. 이는 궁극적으로 세포를 손상시킨 후 죽입니다. 그러나 일부 바이러스는 세포를 죽이지 않은 채 장기간 세포 내에 남아 있을 수 있습니다.

▶ 수천 개의 다른 바이러스들이 있습니다. 일부 바이러스는 사람들을 감염시킵니다. 다른 바이러스는 동물만을 감염시킵니다. 소수의 바이러스만이 사람과 동물을 모두 감염시킬 수 있습니다.

6.3. 바이러스성 감염이란 무엇입니까?

▶ 바이러스성 감염은 바이러스로 인한 질병입니다.

- 바이러스는 공기 호흡(예를 들어, COVID-19를 야기하는 바이러스), 성관계, 바이러스가 묻은 물건 만지기, 또는 모기/진드기와 같은 곤충 물림을 통해 신체에 침입할 수 있습니다.

- 바이러스는 보통 한 유형의 세포만을 감염시킵니다. 예를 들어, 감기를 야기하는 바이러스는 코, 구강, 인후 내 세포만을 감염시킵니다.

- 바이러스가 침입하는 경우, 백혈구가 이를 공격합니다. 백혈구는 또한 동일한 바이러스가 체내에 다시 침입하는 경우 이와 싸우는 방법을 기억합니다.

- 많은 바이러스들은 신체에 침입한 직후 사람을 아프게 만든 후 사라집니다.

- 일부 바이러스들은 사라지지 않고, 침입 후 장기간 동안 아프게 만들 수 있습니다. (예: HIV, 포진 바이러스)

- 박테리아 감염을 치료하는 항생제는 바이러스성 감염을 치료할 수 없습니다.

▶ 일부 바이러스는 세포가 기능하는 방법을 변경시켜 암을 초래할 수 있습니다. 예를 들어, B형과 C형 간염 바이러스는 간암으로 이어질 수 있습니다. HPV(인체 유두종바이러스)는 자궁경부암으로 이어질 수 있습니다.

6.4. 의사들은 바이러스성 감염이 있는지 어떻게 알 수 있습니까?

▶ 의사들은 증상에 기반하여 일부 흔한 바이러스성 감염이 있는지 알 수 있습니다. 의사들은 또한 다음을 실시할 수 있습니다.

• 혈액검사

• 배양(의사들이 신체로부터 검체를 채취하여 실험실에서 이로부터 세균을 성장시키려 시도하는 경우)

의사들은 혈액검사를 실시하여 바이러스성 감염의 존재를 확인할 수 있습니다. 혈액검사는 면역 체계가 바이러스에 어떻게 반응하고 있는지를 보여줄 수 있으며, 특정 바이러스 감염을 나타내는 특징적인 변화를 감지하는 데 도움이 됩니다.

의사들은 때때로 신체로부터 검체(예: 혈액, 가래, 요검)를 채취하여 실험실에서 배양합니다. 이 과정에서 세균이나 바이러스가 성장하는지 관찰함으로써 특정 감염의 존재를 확인할 수 있습니다. 배양은 특히 세균성 감염과 바이러스성 감염을 구분하는 데 유용합니다.

이러한 진단 절차는 바이러스성 감염의 적절한 치료와 관리를 위해 필수적입니다. 감염의 정확한 원인을 파악함으로써, 의사들은 환자에게 적절한 치료 방침을 제공할 수 있으며, 필요한 경우

누구나 쉽게 배우는 집에서 혼자 환자 돌보기 매뉴얼

예방 조치를 취할 수 있습니다. 따라서, 의사들의 이러한 접근 방법은 환자의 빠른 회복과 감염 확산 방지에 중요한 역할을 합니다.

6.5. 의사들은 바이러스성 감염을 어떻게 치료합니까?

▶ 의사들은 보통 많은 바이러스를 치료하기 위해 할 수 있는 일이 많지 않습니다. 이들은 주로 증상을 치료하는 약물을 제안하고 상태가 호전되도록 도와줄 것입니다. 예를 들어, 코가 막히는 경우 의사들은 충혈제거제를 사용하게 할 수 있습니다.

▶ 일부 바이러스의 경우, 의사들은 항바이러스제를 투여할 수 있습니다. 항바이러스제는 다음을 포함한 소수의 바이러스에만 사용됩니다.

- 간염 바이러스
- 포진 바이러스
- HIV
- 인플루엔자(독감)

▶ 항생제는 박테리아를 죽이는 약물입니다. 항생제는 바이러스를 죽이지 않습니다.

치료 방법은 감염의 유형과 환자의 상태에 따라 다릅니다. 대부분의 바이러스성 감염에 대해 할 수 있는 것은 제한적이지만, 의사들은 다양한 방법으로 환자의 증상을 완화하고 회복을 돕습니다.

항바이러스제의 사용은 바이러스의 종류, 감염의 심각성, 환자의 전반적인 건강 상태에 따라 결정됩니다. 이러한 약물은 감염의 초기 단계에서 가장 효과적이며, 적절한 시기에 사용될 때 감염의 진행을 크게 억제할 수 있습니다.

6.6. 바이러스성 감염은 어떻게 예방할 수 있습니까?

- 건강을 잘 관리합니다. 예를 들어, 자주 비눗물로 손을 씻고 안전한 성관계를 실천합니다.

- 권장되는 백신을 접종받습니다.

▶ 백신은 특정 감염과 싸우는 방법을 면역체계에 알려주는 주사입니다. 보통 감염에 노출되기 전 백신을 접종받습니다. 그러나 일부 바이러스의 경우, 이에 노출된 후 주사를 맞을 수 있습니다. 이 주사에는 바이러스와 싸우는 데 도움이 되는 항체(면역글로불린)가 포함되어 있습니다. 예를 들어, 다음을 위한 면역글로불린 주사들이 있습니다.

- 간염

- 광견병

바이러스성 감염을 예방하는 가장 효과적인 방법은 건강한 생활 습관을 유지하고, 권장되는 백신을 접종받는 것입니다. 이러한 예방 전략은 개인과 공동체의 건강을 보호하는 데 핵심적인 역할을 합니다.

백신 접종과 건강한 생활 습관은 각 개인뿐만 아니라 사회 전체의 건강을 위해 매우 중요합니다. 이러한 예방 조치는 공중 보건의 핵심 요소이며, 바이러스 감염을 효과적으로 관리하고 통제하는 데 필수적인 역할을 합니다.

7. 임종 시 조치

집에서 별세하였을 경우에는 먼저 119에 신고하면 112에 연락하여 함께 출동하게 됩니다. 임종이 확실하다면 112에만 신고하면 됩니다. 경찰관이 출동하는 이유는 돌아가신 분에 대하여 사망 사유를 규명하기 위함입니다. 자연사인지, 병사인지, 타살인지, 자살인지 사인 규명을 하기 위하여 경찰관이 출동하는 것인데, 만약 돌아가신 분께서 젊어 사망할 이유가 없거나 사망에 이를 특별한 사유(질병 등)가 없다면 사망 원인을 규명하기 위하여 부검을 실시할 경우가 있습니다. 이런 경우에는 가족들(형제자매)이 부검을 거부할 경우에는 부검을 하지 않을 수가 있는데, 타살 흔적이나 사인에 의문이 있을 경우에는 경찰에서 사건화하여 강제로 부검을 실시하게 됩니다.

7.1. 장례 절차 - 별세 1일차부터 3일차까지
(아트플래너 블로그 참고하였습니다)

별세 1일차

1. 임종 및 운구

자택에서 사망한 경우: 가족이나 보호자는 먼저 119에 신고하여 응급 의료 서비스의 도움을 받아 사망을 확인해야 합니다. 이

후 사망이 확인되면, 사망진단서를 발급받기 위해 병원에 연락하거나 직접 이송해야 할 수 있습니다. 사망진단서를 발급받은 후에는 장례식장으로 운구를 진행합니다. 이때 장의 자동차(운구 차량)를 이용하여 사망한 분을 안전하고 존엄하게 이송합니다.

병원에서 사망한 경우: 병원에서 사망이 확인되면 의료진이 사망진단서를 발급합니다. 가족이나 보호자는 병원의 사회복지사나 장례 서비스 담당자와 협의하여 장례식장으로의 이송을 준비합니다. 병원 내부 또는 병원과 제휴된 장례 서비스 업체를 통해 운구를 진행할 수 있습니다.

운구 과정: 장의 자동차를 이용하는 이유는 사망한 분을 존엄하고 안전하게 이송하기 위함입니다. 장의 자동차는 일반 차량과 달리 사망한 분을 안정적으로 운반할 수 있도록 특별히 설계되어 있으며, 이송 과정에서 발생할 수 있는 여러 가지 상황에 대비한 준비가 되어 있습니다. 가족이나 보호자는 장례식장 선택, 장례 절차 및 의식 준비, 필요한 서류 작업 등을 진행하며, 이 과정에서 장례식장의 전문가나 상담자의 도움을 받을 수 있습니다.

2. 사망진단서(시체검안서) 발급

사망진단서(시체검안서)는 사망이 확인된 후 의료 전문가, 특히 의사에 의해 발급되는 공식 문서입니다. 이 문서에는 사망자의 기본 정보, 사망 일시, 사망 장소, 사망 원인 등이 기록되어 있으며, 사망의 법적인 증명으로 사용됩니다.

사망진단서는 다양한 법적 및 행정 절차에 필요하며, 일반적으로 여러 통이 필요합니다. 예를 들어, 사망자의 유산 처리, 보험금 청구, 화장 또는 매장 허가, 동사무소나 주민센터에서의 사망 등록 등에 사용됩니다. 따라서 약 7통 정도의 사본을 준비해 각 기관에 제출하시면 됩니다.

3. 수시(유가족 또는 장례지도사가 진행함)

수시는 장례 절차 중 하나로, 고인의 몸과 옷을 정돈하는 의식을 말합니다. 이 과정은 유가족 또는 전문 장례지도사에 의해 진행됩니다. 고인의 존엄성을 유지하며 마지막 예우를 갖추기 위해, 깨끗하고 단정한 옷으로 갈아입히고, 필요한 경우 몸을 깨끗이 닦아 줍니다. 이러한 절차는 고인을 존중하고 가족에게 마지막 작별 인사를 할 수 있는 기회를 제공합니다.

또한, '사잣밥'이라고 불리는 전통적인 음식을 준비하는 관습이 있습니다. 이는 고인이 마지막으로 떠나기 전에 마지막 식사를 제공하는 의미를 담고 있으며, 다양한 문화와 종교에서 각기 다른 형태로 시행됩니다. 일부 종교나 전통에서는 이러한 관습을 생략하기도 합니다. 이 과정은 고인에 대한 마지막 예의를 표하는 동시에, 유가족이 고인과의 이별을 준비하는 의식적인 시간이 됩니다. 이러한 장례 절차는 고인에 대한 존중과 사랑을 표현하고, 유가족이 슬픔을 처리하고 추모하는 과정에서 중요한 역할을 합니다.

4. 고인 안치(장례지도사)

고인 안치는 장례 절차의 중요한 부분으로, 이 과정에서는 전문 장례지도사의 도움을 받아 고인을 장례식장의 안치실에 안치합니다. 안치실은 고인을 보관하는 냉장 시설로, 고인을 존엄하게 보호하고 장례식이 진행될 때까지 상태를 유지하는 데 필수적입니다. 상주(가장 가까운 유가족)는 고인이 안치된 냉장 시설의 위치와 번호를 알려 받게 되며, 필요한 경우 안치실에 접근할 수 있는 키나 보안 코드를 인수 받습니다. 이 정보는 상주가 고인을 방문하거나 장례 절차를 준비하는 동안 필요할 수 있으므로, 안치된 고인을 방문하거나 추가적인 준비를 할 때 안내 및 접근을 용이하게 합니다.

5. 빈소 선택 및 빈소 설치

빈소를 선택할 때는 예상되는 문상객의 인원 수를 고려하여 충분한 공간이 확보되도록 해야 합니다. 너무 작은 공간은 문상객들이 불편을 겪을 수 있고, 너무 큰 공간은 비용이 추가로 발생할 수 있습니다.

빈소 설치에 필요한 물품으로는 영정 사진, 고인과 관련된 기념품, 꽃 장식, 조문록, 애도 메시지를 쓸 수 있는 공간 등이 포함될 수 있습니다. 영정 사진은 고인의 생전 모습을 기억하고 추모하는 데 중요한 역할을 합니다. 장례식 준비 과정에서 미리 영정 사진을 준비하고, 필요한 장례 물품과 장지를 결정해 두면, 장례식 준비에 여유를 가지고 진행할 수 있습니다.

6. 장례용품 선택

수의, 제단 꾸미기, 헌화용품, 관 등의 장례용품은 고인에 대한 마지막 예의를 표하고, 유가족과 문상객이 고인을 애도하는 데 도움을 줍니다. 장례식장의 실무자가 여러가지 용품을 보여 주므로 상황에 따라 선택하시면 됩니다. 수의는 고인이 입는 전통적인 장례복으로, 고인의 존엄성을 유지하며 마지막 여정을 준비하는 데 사용됩니다. 제단은 고인을 기리는 공간으로 꾸며지며, 영정 사진, 꽃 장식, 촛불 등으로 장식됩니다. 헌화용품은 고인에 대한 애도의 표시로, 문상객이 제단에 꽃을 바치며 고인을 기립니다. 최근에는 상조회사를 통해 장례식 준비에 있어 일괄 처리하는 추세입니다.

7. 화장 여부

고인의 마지막 뜻을 존중하는 것은 장례 절차에서 매우 중요합니다. 고인이 생전에 화장을 원했거나 특별히 거부했던 의사가 있었다면, 이를 장례 계획에 반영하는 것이 유가족의 도리입니다.

화장을 원했다면, 유가족은 화장 시설을 사전에 예약해야 합니다. 이 과정은 해당 지역의 화장 시설 운영 정책과 수요에 따라 다를 수 있으므로, 사망 직후 가능한 한 빨리 절차를 진행하는 것이 좋습니다. 예약 시 고인의 신원 정보, 사망진단서, 그리고 화장 허가 등 필요한 서류를 준비해야 할 수 있습니다.

누구나 쉽게 배우는 집에서 혼자 환자 돌보기 매뉴얼

고인이 화장을 거부했거나 다른 장례 방식을 원했다면, 그에 따라 매장이나 기타 장례 방식을 선택할 수 있습니다. 모든 경우에 있어서 고인의 뜻과 유가족의 바람을 조화롭게 반영하는 것이 중요하며, 이를 통해 고인에 대한 존중과 사랑을 표현할 수 있습니다.

8. 부고

부고는 고인의 별세 소식을 친지, 친구, 동료 등에게 알리는 중요한 절차입니다. 직계 가족이 서로 협의하여 부고를 작성하고, 전화, 문자, SNS 등 다양한 커뮤니케이션 수단을 활용하여 효과적으로 전달할 수 있습니다. 이때 부고에는 고인의 이름, 별세 날짜, 장례식 일정, 빈소 위치 등의 필수 정보를 명확하게 포함해야 합니다.

9. 상식 및 제사상(제물)

상식 및 제사상은 고인을 기리는 전통적인 방법 중 하나로, 고인이 생전에 좋아하던 음식이나 평소 즐겨 드셨던 식사를 상에 올려 고인의 영혼을 위로하고 추모합니다. 이러한 절차는 고인의 취향과 전통을 반영하여 준비되며, 장례식장과의 상담을 통해 장례 절차에 포함시킬지 여부를 결정할 수 있습니다.

별세 2일차

1. 염습 및 입관

염습 및 입관 절차는 장례식의 중요한 부분으로, 고인에 대한 마지막 예우와 존중을 표현합니다.

염습 : 고인을 깨끗이 씻기고 소독한 후 수의를 입히는 과정으로, 이는 고인의 몸을 정결하게 하고 장례식에 적합한 상태로 만들기 위해 수행됩니다. 전문 장례지도사가 이 과정을 진행하며, 유가족이 원할 경우 직접 참여할 수도 있습니다.

반함 : 고인의 입안에 불린 쌀과 동전 또는 구슬을 넣어주는 전통적인 행위로, 고인의 영혼이 저세상에서 굶주리지 않도록 하는 의미를 담고 있습니다. 요즘은 주로 불린 쌀을 사용하며, 상주를 비롯해 유가족 중 원하는 사람이 참여할 수 있습니다. 반함을 할 때는 불린 쌀을 고인의 입안 우측-좌측-중앙 순으로 넣습니다.

입관 : 고인을 관에 안치하는 절차로, 이후 관보를 덮고 관 위에 명정(고인의 이름을 적은 명패)을 세우게 됩니다. 이 과정은 고인을 마지막 안식처로 모시는 의미를 지니며, 장례지도사의 지도 하에 진행됩니다.

2. 성복

성복은 장례 절차 중 입관 이후 유가족이 전통적인 상복을 입는 의식을 말합니다. 이는 고인을 애도하고 추모하는 마음을 표현하는 방식 중 하나로, 상복을 입는 행위는 유가족이 고인에 대한 존중과 슬픔을 외부적으로 나타내는 중요한 의미를 갖습니다. 상복을 입는 기간은 대체로 장례식이 진행되는 동안으로 한정되며, 특히 상제(장례식의 주관자 또는 고인과 가장 가까운 유가족)의 상장는 탈상(장례 기간이 끝나고 일상으로 돌아가는 의식)까지 상복을 입는 것이 일반적입니다.

3. 성복제

성복제는 상복을 갈아입은 후 제사 음식을 차리고 고인에게 제례를 올리는 의식을 말합니다. 이는 장례 절차의 일환으로, 고인의 영혼을 위로하고 고인과의 마지막 작별을 공식적으로 표현하는 시간입니다. 성복제는 종교나 문화에 따라 다른 명칭(입관 예배, 입관 예절 등)으로 불리며, 그 형태와 절차에 있어서도 차이를 보입니다.

성복제는 유가족과 친지들이 모여 고인의 생애를 기리고, 고인이 삶을 통해 남긴 유산에 대해 추모하는 시간을 가집니다. 제사 음식은 고인이 생전에 좋아하던 음식을 중심으로 준비되며, 이 음식들은 고인의 영혼에게 제공되는 마지막 음식으로서의 의미를 갖습니다. 성복제와 같은 의식은 유가족이 고인과의 이별을 받아들이고, 슬픔을 공유하며 위로를 찾는 중요한 과정입니다.

4. 문상객 접객

문상객 접객은 성복 이후에 이루어지며, 이때 상주와 상제는 빈소에서 문상객을 맞이하게 됩니다. 이 과정에서 상주와 상제는 애도의 마음을 담아 영좌(고인을 모신 자리)가 마련된 방이나 빈소에서 문상객을 접합니다. 전통적으로, 문상객이 도착할 때 곡(울음)을 하는 것이 일반적인 관습이며, 이는 고인에 대한 슬픔과 애도를 표현하는 방식입니다.

문상객과의 대화는 일반적으로 자제되나, 문상을 온 이들에게 간단한 감사의 인사를 나누는 것은 예의에 어긋나지 않습니다. 상주와 상제는 주로 영좌를 모신 자리를 지키며, 문상객과의 대화보다는 고인에 대한 추모와 애도에 집중합니다. 따라서 문상객을 일일이 배웅하는 것이 필수적이지 않으며, 이는 문상객도 이해하는 부분입니다.

별세 3일차

1. 장례물품 및 장례식장 이용료 정산

장례 절차가 마무리되면서 장례물품 사용과 장례식장 이용에 대한 정산이 이루어집니다. 이 과정에서 유가족은 장례식장과 상의하여 사용된 물품들과 서비스에 대한 비용을 확인하고 결제합니다. 이에는 수의, 꽃 장식, 영정 사진 인쇄, 제단 설치, 장례지도사의 서비스 비용, 빈소 대여료, 식사 및 음료 제공 비용 등이 포함될 수 있습니다.

장례식장 이용료 정산은 투명하고 상세한 내역을 통해 이루어져야 하며, 유가족은 모든 비용 항목을 확인하고 이해한 후 결제를 진행합니다. 또한, 상조 서비스를 이용한 경우 상조 계약에 따른 혜택과 서비스 범위를 확인하여 정산 과정에서 반영되도록 합니다.

2. 발인 또는 영결식

영구가 집이나 병원의 장례식장을 떠나는 절차는 장례식의 마지막 단계 중 하나로, 고인을 최종 안식처로 모시는 중요한 순간입니다. 이때 관을 이동할 때는 전통적인 예의에 따라 고인의 머리가 먼저 나가도록 합니다. 이러한 방식은 고인에 대한 존중과 예우를 표현하는 동시에, 고인의 영혼이 안내받으며 안식처로 향할 수 있도록 하는 의미를 담고 있습니다.

3. 운구

영구를 장지(화장시설)까지 영구차나 상여로 운반하는 절차

장의차를 이용할 경우 영정, 명정, 영구를 실은 후 상주, 상제, 복인, 문상객 순으로 승차하여 운구합니다. 장의차 외에 별도 선두차를 이용할 경우 선두차에 장의용 리본을 단 후 상주가 영정 사진을 모시고 이동하면 됩니다.

화장은 정해진 예약 화장터로 이동하여 접수대에 사망진단서

및 관계 증명을 위한 신분증을 제출하면 정해진 화장방으로 관을 이동하여 대기한 후 화장에 들갑니다. 화장을 기다리는 동안 엄숙한 마음으로 고인의 명복을 빌며 온 가족이 함께하는 경건함을 보여야 합니다. 기도를 한다든가, 명복을 비는 마음은 반드시 행해야 할 고인에 대한 마지막 예가 됩니다.

화장이 완료되면 화장 완료 신호등이 켜지는데, 이때 상주가 고인의 재를 지니고 간 납골 도자기(납골함)에 직접 쓸어담기도 하지만 화장장에서 수습해주기도 합니다. 이후엔 납골함을 모시고 정해진 납골당 등으로 이동하여 납골당의 담당자의 안내에 따라 납골을 모십니다.

장례 후 절차는 삼우제, 사십구제 등이 있으며 장례 후에는 무엇보다 장례에 참석해 주셨던 문상객들에게 일일이 전화를 하거나 찾아뵙고 고마움을 표시해야 합니다. 아무래도 문자는 성의가 없다고 생각되더라도 요즘에는 주로 SNS로라도 감사 인사를 표해야 합니다.

8. 조문은 어떻게 해야 할까?

조문 시에는 검정 옷이 무난하며, 없을 경우에는 무채색의 단정한 옷차림도 무난합니다.

가. 조객록에 서명 – 이름을 남기고 빈소로 들어갑니다.

나. 분향과 헌화 – 향을 하나나 세 개(홀수)를 집어 촛불에 불을 붙입니다. 불을 끌 때는 입으로 불어 끄지 않고 손이나 흔들어 끕니다.

다. 재배 – 영정 앞에 두 번 큰절, 기독교나 다른 경우 고개를 숙여 기도나 묵념으로 대신합니다.

라. 조문 – 영좌에서 물러나 성주와 맞절을 한 후 꿇어앉아 정중한 말로 위로 인사를 건넵니다.

마. 부의금 전달

절의 의미

절은 몸을 굽혀 공경을 표시하는 인사 방법으로, 인간이 살아가면서 지켜야 할 예절 가운데 상대방에 대한 공경과 반가움을 나타내는 가장 기본적인 행동 예절입니다.

몸가짐 중에 공수법이 있는데, 이는 두 손을 모아 앞으로 잡는 것을 공수라 하며, 이는 공손한 자세를 나타내며 모든 행동의 시작입니다. 어른에 대한 태도와 자세는 공손한 인상을 가질 수 있도록 해야 하며, 공손한 자세를 취하는 사람에게도 편안한 자세가 되어야 합니다.

공수 동작은 손을 앞으로 모아서 잡는 것을 말하는데, 남자와 여자의 손 위치가 다르고 평상시와 흉사 시가 다릅니다. 공수는 의식 행사에 참석하였을 때와 어른을 뵐 때 합니다. 배례의 기본 동작이며, 절할 때도 이와 같이 합니다.

공수할 때 남자는 왼손을 위로 하고 여자는 오른손을 위로 하여 두 손을 가지런히 모아서 포갠다. 흉사 시에는 남녀 모두 평상시와 반대로 합니다.

문상할 때 인사말(위로의 말)

고인과 상주에게 절한 후 아무런 말도 하지 않고 그냥 나오는 게 전통적인 예의라고 하네요. 상을 당한 입장에서는 그 어떤 말로도 위로가 되겠습니까?

오히려 침묵이 더 깊은 조의를 표하는 게 될 수 있습니다.
문상에 있어서 문상하는 사람과 상주의 나이와 관계 등 상황에 따라 다르고, 격식이나 형식적인 표현보다는 따뜻하고 진지한 위로의 한마디를 미리 준비하고 문상에 임하면 좋을 듯합니다.

상주 부모님의 경우 문상 인사말

□ 상사에 얼마나 애통하십니까?

□ 아프시다는 소식을 알고서도 찾아뵙지 못하여 죄송하기 그지없습니다.

□ 그토록 정성을 다하여 모셨는데 연세가 있으셔서 건강을 유지 못하시고 일을 당하시어 얼마나 애통하십니까?

□ 얼마나 망극하십니까? (한없는 슬픔을 나타내는 내용) 왕이나 부모가 돌아가셨을 경우에 사용합니다.

자녀상을 당했을 때

□ (참경) 참혹하고 끔찍한 일을 당하셔서 마음이 얼마나 아프십니까?

배우자상을 당했을 경우

□ 상사에 무어라 드릴 말씀이 없습니다.

형제상을 당했을 경우

□ 백씨 상을 당하셔서 상심이 매우 크시겠습니다.(맏형)

□ 중씨 상을 당하셔서 상심이 매우 크시겠습니다.(둘째형)

□ 계씨 상을 당하셔서 상심이 매우 크시겠습니다.(동생)

일반적인 경우

☐ 뜻밖의 비보에 애통한 마음을 감출 길이 없습니다. 삼가 고인의 명복을 빕니다.

☐ 평소 고인의 덕을 되새기며 삼가 고인의 명복을 빕니다.

☐ 삼가 조의를 표하며 고인의 덕이 후세에 이어져 빛이 나기를 기원합니다.

☐ 크나큰 슬픔을 위로하며 삼가 고인의 명복을 빕니다

참고 도구 자료사진

발 부위 욕창을 방지하기 위한 쿠션입니다.

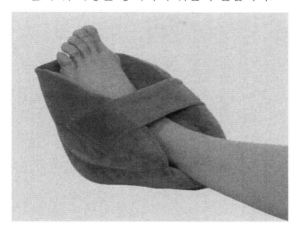

발 부위 욕창 방지를 위한 제품입니다.

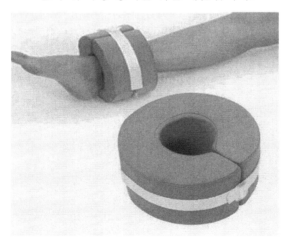

체위변경 도구이며 상체를 올렸을 때 대퇴부와 엉덩이 사이에 받쳐 슬라이딩 되지 않도록 활용할 수 있는 체위변환용구입니다.

위루관 속을 세척할 수 있는 세척용 솔입니다.

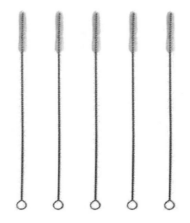

누구나 쉽게 배우는 집에서 혼자 환자 돌보기 매뉴얼

작가 인터뷰

책을 쓰기로 결심한 구체적인 계기는 무엇인가요?

전문가가 아닌 사람이 집에서 위중한 상태의 환자를 케어하기가 쉽지 않아요. 환자를 돌보는 데 필요한 정보가 체계적으로 정리된 지침서나 매뉴얼이 없어서 제가 그동안 경험해온 내용들을 기록해서 필요한 사람들에게 전하고 싶었어요. 그래서 유튜브 영상을 만들기 시작했죠. 그러다가 페스트북이라는 출판사를 알게 되었어요. 이왕이면 전문가의 도움을 받아 책으로 출판하면 좋겠다는 생각이 들어서 글을 쓰게 되었습니다.

어머님을 집으로 모셔온 후 가장 크게 느낀 변화는 무엇인가요?

가장 큰 변화는 어머니의 심리적 안정이었어요. 요양시설에서는 개인별로 불편한 부분이나 위급한 상황에 대한 처치가 즉시 이루어지지가 않아서 병세가 악화되는 일이 많아요. 환자가 육체적, 정신적으로 고통을 받을 수밖에 없죠. 집으로 모셔온 뒤로는 어머님이 필요한 순간마다 바로 돌봐드릴 수 있었어요. 병원에서는 어머니가 방치된 느낌이 들어서 마음이 아팠지만, 집에 모시고 나서는 어머니가 훨씬 편안해하셔서 제 마음도 한결 나아졌어요. 말씀은 전혀 할 수 없는 상태여도 얼굴 표정만 봐도 금방 알 수 있거든요.

다른 가족들이나 주변인의 협조는 어떻게 이끌어내셨나요?

초기에는 가족들의 반대도 있었어요. 집에서 모신다는 부담감뿐만 아니라 비용에 대한 걱정도 있었죠. 하지만 방치되기 쉬운 요양

시설에서보다 집에서 더 나은 케어를 해드릴 수 있을 거라고 가족들을 설득했어요. 대부분 제가 직접 많이 하긴 했지만 형제들이 없었다면 힘들었을 거예요. 특히 같은 지역에 사는 남동생이 많은 도움을 주었어요.

간병 중 예상치 못한 어려움을 어떻게 해결하셨나요?

원인을 알 수 없는 고열이 있을 때가 정말 불안하고 힘들었어요. 처음에는 응급실에 가야 하는 상황인지 빨리 판단하기가 어려워서 인터넷 검색도 해보고, 병원에 갈 때마다 의료진에게 조언을 구했어요. 38도 이상이면 고열이라고 하더라고요. 그래서 38도 이상이면 일단 해열제를 드려보고 그래도 호전이 안 되면 응급실을 갔어요. 38도 미만일 때는 찬물로 마사지를 해드렸고요.

가장 보람을 느낀 순간은 언제였나요?

어머니의 욕창을 완치시켰을 때 가장 보람을 느꼈어요. 병원에서는 치료가 어려울 거라고 했거든요. 의사분도 상태를 보고 돌아가실 때까지 계속 욕창이 남아있을 거라고 했을 정도였죠. 하지만 저는 포기하지 않고, 최선을 다해 치료 방법을 찾아보았어요. 우선, 욕창 치료는 삼박자가 맞아야 돼요. 첫째는 상처에 가하는 압박을 줄이는 것, 둘째는 영양 섭취를 잘하는 것, 셋째는 상처 부위를 깨끗하게 관리하는 것이에요. 동생이랑 둘이 그걸 해냈죠. 어머니가 편안하게 지내시는 모습을 볼 때마다 보람을 느껴요.

간병을 하면서 겪은 비용 문제들을 어떻게 다루셨나요?

비용은 형제들이 함께 분담했어요. 요양시설에 계실 때와 집에서 간병할 때 비용 차이는 거의 없었어요. 예를 들어 요양시설에서 한 달에 130만 원 정도 들었는데, 집에서도 간병에 필요한 용품들이나 영양식 재료들을 준비하다 보면 그 정도는 쓰게 돼요. 다들 사정이 있겠지만 돈 문제 때문에 집에서 모신다는 이야기는 사실상 그만큼 신경을 쓰지 않는다는 말이죠. 마음 쓰기 나름이에요.

가족 간병인으로서 겪는 심리적 어려움을 어떻게 관리하셨나요?

사실 저도 마음이 약해질 때가 있어요. 어머니가 밤새 잠을 못 주무시면서 힘들어하실 때는 마치 동기화가 되는 것처럼 저도 아프더라고요. 전문 의료인 없이 저 혼자 어머니를 돌봐야 하는 상황에서 '어머니가 돌아가시면 어쩌나' 하는 불안감도 있었어요. 아프고 지칠 때마다 어떻게 이 상황을 헤쳐나가야 할지 고민했죠. 어머니는 평생을 자식들을 위해 헌신하셨는데, 힘들어도 자식들에게 부탁하지 않으셨던 모습이 생각났어요. 그걸 떠올리면 마음이 아프면서도 다시 힘을 내게 되죠.

가족 간병인에게 가장 필요한 제도적 지원은 무엇일까요?

저희 어머니의 경우, 1등급 환자라서 하루 4시간씩 간병인 지원이 되는데도 나머지 20시간은 오롯이 보호자가 돌봐야 하는 상황이에요. 간병인 지원 시간을 늘리는 것이 필요하다고 생각해요. 8시간까지 지원이 확대되면 좋겠어요.

독자들에게 꼭 해주고 싶은 말씀이 있나요?

집에서의 간병을 결심하신 분들께 꼭 해드리고 싶은 말이 있어요. 전문가가 아니더라도 요즘은 정보가 넘쳐나는 시대인데요. 저는 약을 처방받으면 꼭 약의 효능과 복용량을 일일이 검색해봐요. 어머니가 많이 야위셔서 몸무게가 20kg밖에 안 되는데, 성인 기준으로 약을 처방해준 적이 있었거든요. 나중에 물어보니까 깜짝 놀라서 다시 처방을 해주더라고요. 전문가들을 믿는 것도 좋지만 반드시 꼭 한 번 더 확인해야 해요. 의료진도 실수할 수 있고, 그로 인한 피해는 결국 환자와 보호자의 몫이니까요. 꾸준히 배우고, 확인하고, 필요할 때는 의료진과 협력하는 자세가 필요해요. 어떻게 돌보느냐에 따라 환자의 예후가 정말 많이 달라집니다. 제 경험과 노하우가 비슷한 상황에 처한 분들에게 작은 도움이나마 됐으면 해요.

이용기 작가 홈페이지

누구나 쉽게 배우는 집에서 혼자 환자 돌보기 매뉴얼

의사는 알려주지 않는 10년차 간병 전문가의 돌봄 매뉴얼

발행일 2024년 7월 31일

지은이 이용기
펴낸이 마형민
편 집 강채영 곽하늘
디자인 김안석
펴낸곳 (주)페스트북
주 소 경기도 안양시 안양판교로 20
홈페이지 festbook.co.kr

© 이용기 2024

ISBN 979-11-6929-542-0 03510
값 18,000원